6-7 ANS

Français

Dominique Estève

Maitre formateur

Écris ton prénom.

....

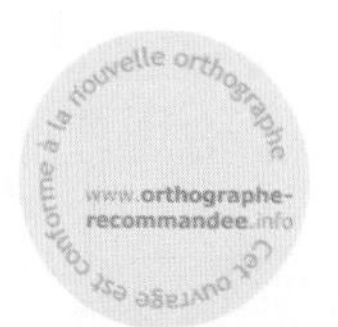

Présentation

Ce cahier aidera votre enfant à consolider ses acquis et à s'évaluer en **français** durant son année de **CP**. En effet, il ne suffit pas d'apprendre ses leçons : il faut aussi pratiquer et s'entrainer.

- Chaque chapitre comporte quatre pages : une de **LECTURE**, une de **VOCABULAIRE**, une d'**ORTHOGRAPHE** et une de **GRAMMAIRE**.
- Sur chaque page, une à trois notions sont traitées et expliquées.
- Les exercices reprennent de façon systématique toutes les notions abordées en classe.
- Ils assurent ainsi, par une mise en application répétée de la règle, une parfaite acquisition des connaissances et des savoir-faire attendus.

TEST

■ Avant de commencer les exercices du cahier, votre enfant peut faire le **test de français** pages 4 et 5 pour évaluer son niveau. En fonction de ses résultats (page 6), et en consultant ensuite le sommaire de la page 3, vous pourrez facilement repérer les notions à réviser en priorité. Cependant, il peut également travailler sur les chapitres dans l'ordre où ils sont proposés.

CONSEILS PARENTS
Montrez bien à votre enfant que les noms formés à partir de ball en anglais se finissent tous en -all sans la lettre e.

■ Sur chaque page, la **règle** est rappelée et accompagnée d'exemples dans la rubrique **JE COMPRENDS**. Très souvent, un **CONSEIL PARENTS** vous donnera une information pour vous aider à accompagner votre enfant dans ses révisions : cela peut être un conseil pratique, ou des exemples à prendre dans la vie quotidienne...

La lettre muette est presque toujours située à la fin des mots.

■ Les **exercices** proposent un système de graduation avec une, deux ou trois étoiles indiquant leur **niveau de difficulté**. Ils reprennent méthodiquement la ou les notions abordées dans la page de manière à optimiser l'assimilation des connaissances. Une petite **ASTUCE**, sur fond bleu, donne régulièrement à votre enfant un coup de pouce pour l'aider à résoudre un exercice.

■ Au centre du cahier, les **corrigés détachables** permettent la vérification des acquis et l'évaluation des résultats. En effet, votre enfant pourra ensuite cocher au bas de chaque page la case verte s'il l'a très bien réussie, la case orange s'il l'a moyennement réussie ou la case rouge si ses erreurs sont nombreuses. Il peut ensuite reporter ce résultat dans le **tableau de bord** du cahier p. 3. Cela vous permettra de distinguer les notions bien acquises de celles qu'il est encore nécessaire d'approfondir, ce que votre enfant pourra faire grâce aux exercices supplémentaires et gratuits proposés sur le site www.hatier-entrainement.com.

■ Sur la dernière page de ce cahier, votre enfant trouvera un **Mémo** avec l'alphabet et le tableau des sons qu'il doit impérativement connaitre.

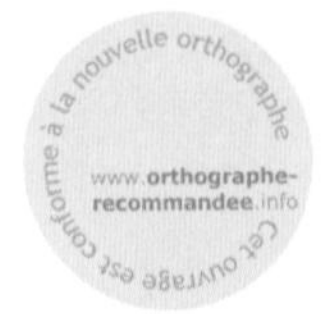
Cet ouvrage est conforme à la nouvelle orthographe
www.orthographe-recommandee.info

■ Dans ce cahier, certains mots sont écrits selon les prérogatives du Ministère de l'Éducation nationale, recommandant d'appliquer la nouvelle orthographe. Par exemple, le mot « goûter » devra dorénavant s'écrire « gouter » ou encore le mot composé « des après-midi » s'écrira « des après-midis ». Dans le livret des corrigés, nous proposerons donc l'ancienne orthographe entre parenthèses juste derrière la nouvelle pour que vous puissiez mieux accompagner votre enfant dans cette démarche de simplification.

© Hatier, 8 rue d'Assas, 75006 Paris • 2019 • ISBN : 978-2-401-05024-2
Conception graphique : Frédéric Jély • Édition : Imaginemos • Mise en page : STDI
• Illustrations : Karen Laborie • Chouettes : Adrien Siroy • Cartes mentales : Bénédicte Idiard.

Ton tableau de bord

Reporte la date à laquelle tu as fini chaque page d'exercices et coche la case □□□ qui correspond à ton résultat.

« Chouette bilan » : rendez-vous sur le site www.hatier-entrainement.com pour faire le bilan de tes connaissances en FRANÇAIS CP !

Avant de commencer les activités de ton cahier, réponds à ces questions. Puis consulte le tableau page 6 pour découvrir les résultats de ton test de Français !

1 Il y a un intrus dans cette liste :

bande
bande
bonde
bande

VRAI ☐ FAUX ☐

2 Dans le dictionnaire, les mots sont rangés par ordre alphabétique.

VRAI ☐ FAUX ☐

3 Les noms propres commencent par une **majuscule**.

VRAI ☐ FAUX ☐

4 **L'ogre a faim**. Le mot **ogre** est un nom commun.

VRAI ☐ FAUX ☐

5 Il y a un intrus dans cette liste :

chien
chien
chienne
chien
chien

VRAI ☐ FAUX ☐

6 On entend le son « **o** » dans tous ces mots :

trot
croc
eau
landau

VRAI ☐ FAUX ☐

7 Le **chiot** est le petit du cheval.

VRAI ☐ FAUX ☐

8 Les verbes au pluriel prennent un **s**.

VRAI ☐ FAUX ☐

9 **Hier, j'ai rangé ma chambre.**
Cette phrase est au présent.

VRAI ☐ FAUX ☐

10 On entend le son « **s** » dans tous ces mots :

saucisson
cornichon
caleçon
attention

VRAI ☐ FAUX ☐

11 On n'entend pas la lettre **t** dans les mots de cette phrase. **Le petit rat a peur du chat.**

VRAI ☐ FAUX ☐

12 On retrouve le mot **lait** dans :

laitage
laitier
allaiter

VRAI ☐ FAUX ☐

13 Les noms au pluriel prennent un **s**.

VRAI ☐ FAUX ☐

14 **Elle** est un pronom féminin.

VRAI ☐ FAUX ☐

15 Tous ces mots se terminent par **-a** :

acacia
amande
camélia
agenda

VRAI ☐ FAUX ☐

16 Tous ces mots sont des noms d'animaux :

coq
cheval
hibou
chien

VRAI ☐ FAUX ☐

17 **Petit** est le contraire de **grand**.

VRAI ☐ FAUX ☐

18 Il existe des mots invariables.

VRAI ☐ FAUX ☐

19 Un verbe change de forme selon le temps et la personne.

VRAI ☐ FAUX ☐

20 Le mot **vélo** est dans cette liste :

violon
vol
voler
veau

VRAI ☐ FAUX ☐

21 On entend le son « **j** » dans tous ces mots :

jupe
joli
geai
girafe

VRAI ☐ FAUX ☐

22 Ces mots sont bien rangés par ordre alphabétique :

bateau auto canot

VRAI ☐ FAUX ☐

23 Ces mots sont bien orthographiés :

aujourd'hui
hier
demain
bientôt

VRAI ☐ FAUX ☐

24 **Les petites chouettes.**
Ce groupe nominal est au singulier.

VRAI ☐ FAUX ☐

25 On entend le son « **oin** » dans tous ces mots :

loin
foin
coin
moins

VRAI ☐ FAUX ☐

Résultats du test p. 6 →

Résultats du 

Si ta réponse est bonne, entoure le signe de couleur situé à côté.

1	VRAI	■	6	VRAI	■	11	VRAI	■	16	VRAI	■	21	VRAI	■
2	VRAI	●	7	FAUX	●	12	VRAI	●	17	VRAI	●	22	FAUX	●
3	VRAI	◆	8	FAUX	◆	13	VRAI	◆	18	VRAI	◆	23	VRAI	◆
4	VRAI	▲	9	FAUX	▲	14	VRAI	▲	19	VRAI	▲	24	FAUX	▲
5	VRAI	■	10	FAUX	■	15	FAUX	■	20	FAUX	■	25	VRAI	■

LECTURE

Si tu as entre 9 et 10 ■ : Bravo ! Tu es un as en lecture. Et tu vas apprendre encore plus avec ce cahier !

Si tu as entre 5 et 8 ■ : C'est bien ! Les exercices de ce cahier vont aussi te permettre de réviser des notions que tu avais peut-être oubliées.

Si tu as entre 1 et 4 ■ : Lis attentivement les leçons des pages **LECTURE** avant de faire les exercices qui suivent.

VOCABULAIRE

Si tu as 5 ● : Bravo ! Tu es un as en vocabulaire. Et tu vas apprendre encore plus avec ce cahier !

Si tu as entre 3 et 4 ● : C'est bien ! Les exercices de ce cahier vont aussi te permettre de réviser des notions que tu avais peut-être oubliées.

Si tu as entre 1 et 2 ● : Lis attentivement les leçons des pages **VOCABULAIRE** avant de faire les exercices qui suivent.

ORTHOGRAPHE

Si tu as 5 ◆ : Bravo ! Tu es un as en orthographe. Et tu vas apprendre encore plus avec ce cahier !

Si tu as entre 3 et 4 ◆ : C'est bien ! Les exercices de ce cahier vont aussi te permettre de réviser des notions que tu avais peut-être oubliées.

Si tu as entre 1 et 2 ◆ : Lis attentivement les leçons des pages **ORTHOGRAPHE** avant de faire les exercices qui suivent.

GRAMMAIRE

Si tu as 5 ▲ : Bravo ! Tu es un as en grammaire. Et tu vas apprendre encore plus avec ce cahier !

Si tu as entre 3 et 4 ▲ : C'est bien ! Les exercices de ce cahier vont aussi te permettre de réviser des notions que tu avais peut-être oubliées.

Si tu as entre 1 et 2 ▲ : Lis attentivement les leçons des pages **GRAMMAIRE** avant de faire les exercices qui suivent.

Sur le site **www.hatier-entrainement.com**, tu trouveras d'autres exercices pour t'entrainer.

Bonjour !
Le français, ce n'est pas si compliqué !

C'est comme un jeu ! Il y a des règles – de grammaire, d'orthographe, de conjugaison – et du vocabulaire.

Une fois que tu les as apprises et retenues, tu n'as plus qu'à t'entrainer pour mettre en pratique tes connaissances.

Ce cahier va te permettre de progresser rapidement !

■ Chaque chapitre de ce cahier te propose 4 pages pour travailler sur les 4 **matières** de français.

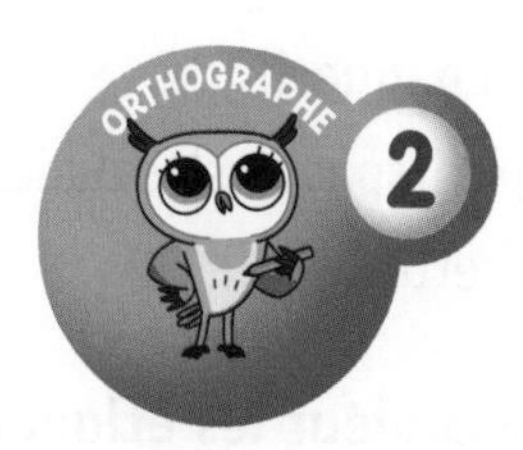

■ Lis attentivement la **leçon** de l'encadré jaune avant de commencer les exercices de la page.

N'hésite pas à consulter un dictionnaire lorsque tu as un doute sur le sens d'un mot.

→ Les **exercices** te proposent 3 niveaux de difficulté : ★ facile, ★★ moyen, ★★★ plus difficile. Parfois, la chouette te donne une petite astuce ou un conseil pour t'aider à les faire.

→ Après avoir regardé le livret des **corrigés**, tu pourras cocher l'une des trois cases situées en bas de page : la case verte si tu as tout bon, la case orange s'il y a 1 ou 2 erreurs et la case rouge s'il y en a davantage. Tu peux ensuite reporter tes résultats sur le **sommaire/ tableau de bord** de la p. 3.

....

→ Sur la dernière page du cahier, tu trouveras **l'alphabet** et un tableau des **sons** que tu dois impérativement connaitre en CP. Tu peux les regarder pour faire les exercices autant de fois que nécessaire.

1 Le mot

JE COMPRENDS

Un mot est un **ensemble ordonné de lettres qui a un sens.**

CONSEILS PARENTS

Jouez à parler comme un robot avec votre enfant en détachant les mots pour qu'il les distingue bien à l'oral.

1 Compte le nombre de mots de chaque ligne.

- Ma maison est très grande. .... mots
- Mais le jardin est tout petit. .... mots
- Un chat gris est mon ami. .... mots

2 Sépare les mots de chaque ligne.

- LechatdeNatachaesttropgras.
- Lasorcièreamélangélabaveducrapaudàlabavedelalimace.

3 Sépare les mots de chaque ligne.

- Latortuemarcheàpetitspasverslasalade.
- LevélodePierreestvertetbleu.

Pour t'aider à faire les exercices 2 et 3, lis la phrase à haute voix.

4 Colorie de la même couleur les étiquettes qui forment un mot, puis écris-les.

cha | ton

four	por	mou	zè	choco	voitu
lat	mi	te	ton	bre	re

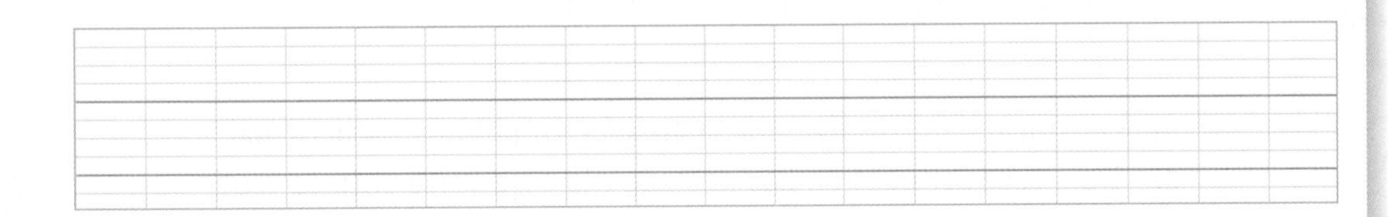

5 Remets les lettres dans l'ordre pour former des mots. Écris-les.

nelu

lijo

epuj

namam

Corrigés p. 2

Plus d'exercices et de conseils sur **www.hatier-entrainement.com**

VOCABULAIRE

1 L'écriture et les caractères

JE COMPRENDS

Les écrits **imprimés** utilisent des caractères d'**imprimerie**.
Les écrits **fabriqués à la main** utilisent l'écriture **manuscrite** ou **cursive** ; on parle aussi à l'école d'« écriture attachée » :

un raton laveur   *un raton laveur*

1 Continue de relier les écritures du même mot.

chaton •	• *champignon*
champignon •	• *champion*
chameau •	• *chaton*
champion •	• *chameau*

2 Avec des feutres, souligne d'une même couleur les écritures d'un même mot.

• midi • lune • *sapin* • plume • *vélo* • *lavabo* • sapin
• vélo • *midi* • *lune* • lavabo • *plume*

JE COMPRENDS

Au début des noms propres et en début de phrase, on emploie des **majuscules**. Les autres lettres sont des **minuscules**.

Mon meilleur ami s'appelle Pierre.
Mon meilleur ami s'appelle Pierre.

3 Écris en lettres minuscules attachées les mots suivants.

wagon
cheval

poisson
demain

Dans le mot minuscule, il y a **minus** qui signifie **petit**, donc les minuscules sont de petites lettres.

4 Entoure les majuscules dans le texte suivant.

Il était une fois une princesse qui s'appelait Prisca. Elle était très belle et très douce.
Un jour, son père, le roi Adémar, décida de la marier au prince Tourneboule…

Corrigés p. 2

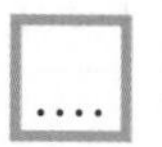  

Plus d'exercices et de conseils sur www.hatier-entrainement.com

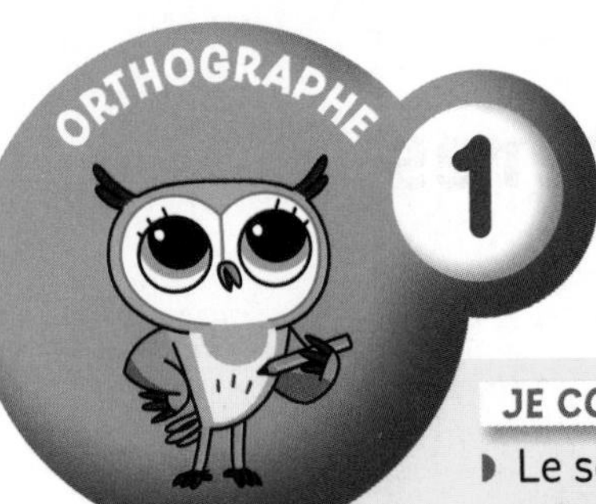

Les sons « i », « u », « a »

JE COMPRENDS

- Le son « **i** » peut s'écrire **i** comme dans le b**i**sou et une **i**le ou **y** comme dans le p**y**jama .
- Le son « **u** » s'écrit **u** comme dans la l**u**ne .
- Le son « **a** » peut s'écrire **a** comme dans le l**a**ma , **â** comme dans l'**â**ne ou **à** comme dans « Je vais **à** l'école » .

CONSEILS PARENTS
Prenez l'habitude, devant votre enfant, de chercher l'orthographe d'un mot dans un dictionnaire papier ou numérique.

★ 1 Entoure le mot si tu entends « i ».

- À midi, la souris en bas gris fume sa pipe.
- Le loir dort en pyjama.
- L'oiseau est parti très loin sur une ile.

Regarde bien si la lettre **i** n'est pas mariée avec la lettre **o**.

★ 2 Entoure le mot si tu entends « u ».

- un menu • le mur • mou • l'écriture • un jouet • la tortue
- un seau • la lumière • un tissu • une voiture

Dans l'ex. 2, regarde bien si la lettre **u** n'est pas mariée avec la lettre **o**.

★ 3 Entoure le mot si tu entends « a ».

- un rat • un lilas • une banane • râper • un pain • la craie
- la tarte • une tante • un château • un haricot

Dans l'ex. 3, regarde bien si la lettre **a** n'est pas mariée avec la lettre **n**.

★★★ 4 Complète avec a, i, y ou u.

J'écr....s avec un st....lo à pl....me.

Le ch....t retombe toujours s....r ses p....ttes.

Dans m.... poche, il y a un p....quet de bonbons.

Z....t, j'ai perd.... ma b....gue à la p....sc....ne.

J'aime la fleur de l....s.

★★ 5 Colorie en rouge les mots si tu entends « i », en bleu si tu entends « u ».

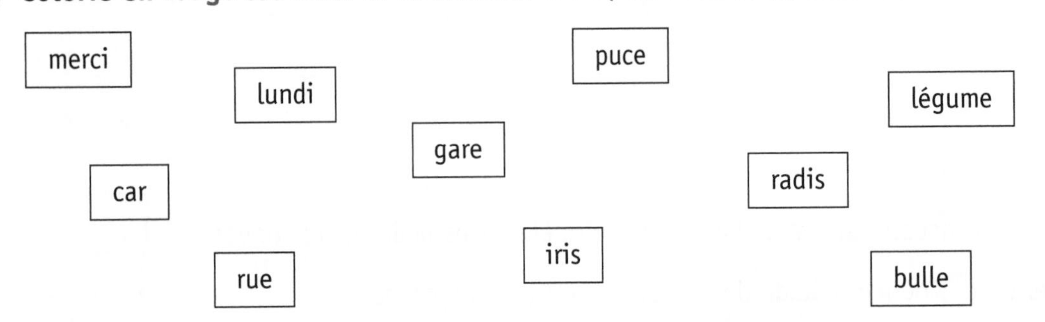

Corrigés p. 2

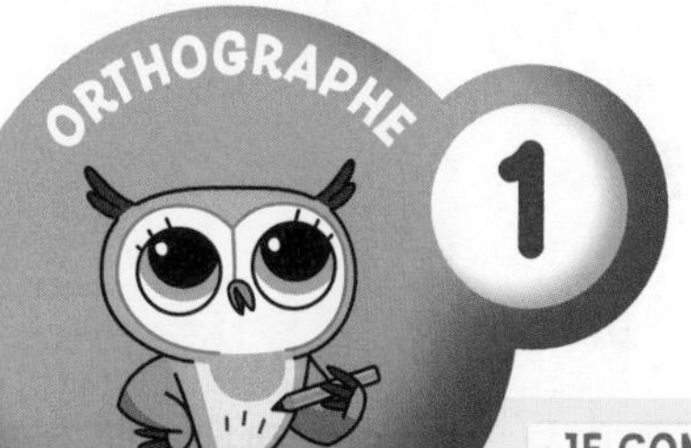
ORTHOGRAPHE
1

Le son « s »

JE COMPRENDS

Le son « **s** » peut s'écrire de différentes façons :

s comme dans une salade

ss comme dans un poisson

c comme dans une pince, une cigale

ç comme dans un garçon

sc comme dans scier

t comme dans attention

CONSEILS PARENTS

*L'écriture du son « **s** » est complexe. Apprenez à votre enfant à observer les lettres qui entourent la lettre **s**, **c**, **ç**, **t** pour qu'il trouve lui-même les règles d'orthographe qu'il reverra au CE1.*

1 **Souligne le mot si tu entends le son « s ».**

- une chanson • une souris • une valise • un magasin • un tissu
- un stylo • une trousse • six

Regarde, la lettre **s** entre deux voyelles se prononce « **z** ».

2 **Souligne le mot si tu entends le son « s ».**

- une cerise • un citron • un garçon • un cygne • cent • une ceinture
- un car • un coq

Regarde, la lettre **c** devant **e** ou **i** se prononce « **s** » et non « **k** ».

3 **Classe les mots suivants dans le tableau.**

un seau / un poisson / une scie / une balançoire / une opération / un tissu / une salade / un sac / un bassin / un dessin / un souci / un reçu / une science / attention / un maçon / une idiotie / une piscine / cent

s	ss	c	ç	sc	t
....	....	....	....	....	....
....	....	....	....	....	....

4 **Souligne l'intrus de chaque ligne.**

- colline • océan • médecin • cercle
- garçon • leçon • façade • conjugaison
- vision • mission • passion • discussion

5 **Trouve le nom en -tion à partir du verbe donné. illuminer → illumination**

réparer → répara....... expliquer → explica....... autoriser → autorisa.......

inviter → invita....... décorer → décora.......

6 **Recopie la phrase suivante.**

Le poisson-scie n'aime pas le saucisson.

Corrigés p. 2

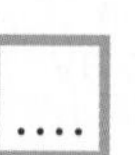

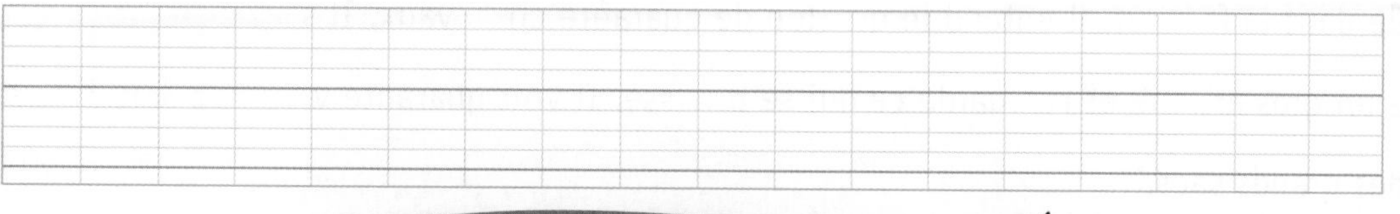
BRAVO ! Tu as fini le chapitre 1.
Rendez-vous sur le site www.hatier-entrainement.com
pour encore plus d'exercices et de conseils !

2 La silhouette des mots

JE COMPRENDS

Quand tu lis, ton œil retrouve facilement la **forme** des mots que tu connais bien.

CONSEILS PARENTS

Incitez votre enfant à lire les mots des exercices 1 à 4 à haute voix avant de les écrire.

1 **Retrouve ces mots à moitié effacés et écris-les en lettres attachées.**

- un papillon • un chateau • une tortue • une dent

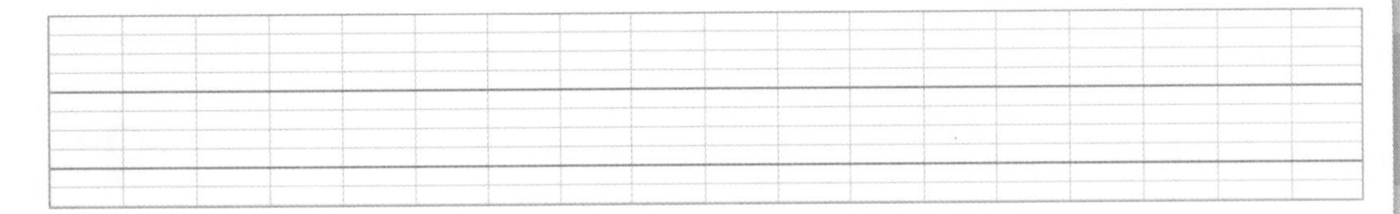

Applique-toi à bien écrire entre les lignes.

2 **Même consigne.**

- un papa • du pain • cinq • de la glace • une joue

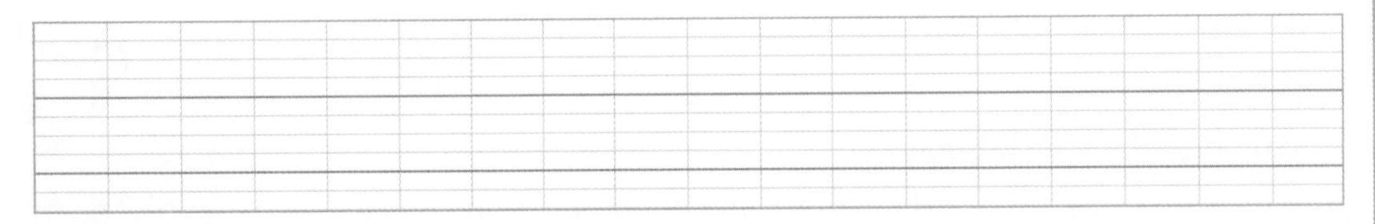

3 **Retrouve ces mots à moitié effacés et recopie-les.**

- du chocolat • un lilas • la lune • du beurre

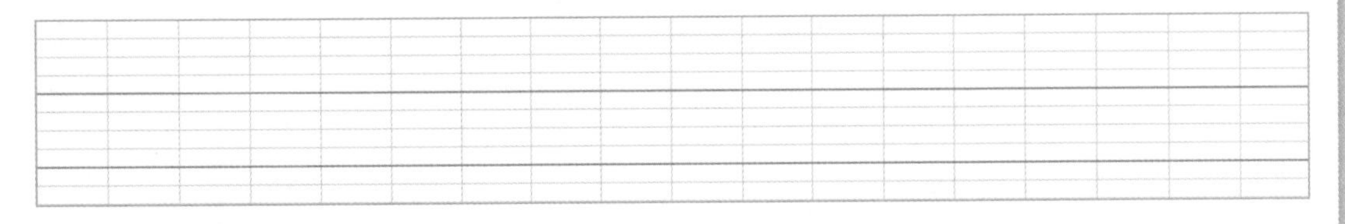

4 **Même consigne.**

- une flamme • un poussin • un gorille • une gare

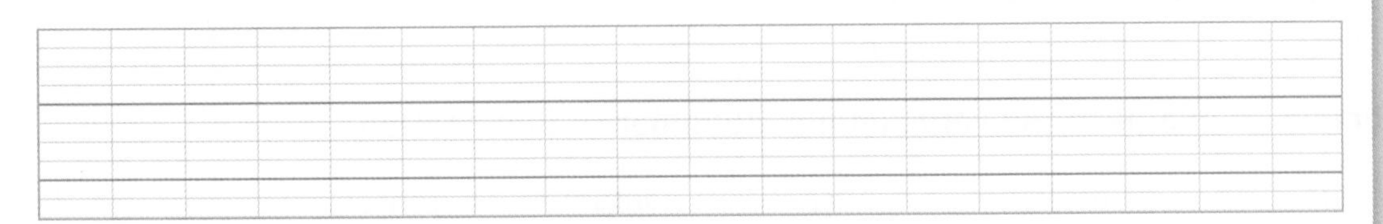

5 **Complète les pointillés avec la lettre qui manque.**

Ali Baba est un pauvre h....mme qui hab....te d....ns une v....lle d'Orient. Al....rs qu'il tr....vaille dans la fo....êt, il entend le g....lop de quarante ch....vaux. Il s.... cache derrière un gros ar....re et r....garde ce qui se p....sse. Il voit quarante v.... leurs av....c des grands sacs.

Corrigés p. 2

Plus d'exercices et de conseils sur www.hatier-entrainement.com

VOCABULAIRE

2 Quelques mots invariables

JE COMPRENDS

Certains mots s'écrivent toujours de la même façon : ce sont des mots **invariables**. En voici quelques-uns :

avec · dans · à · chez · sur · par · et · beaucoup · en · contre · pour · encore · demain · toujours

CONSEILS PARENTS

Dictez régulièrement à votre enfant les mots invariables fréquents pour qu'il les mémorise dès le CP.

★ 1 **Souligne les mots avec, chez, dans, à dans le texte suivant.**

Le chat enfile ses grandes bottes et part à Rome. Il marche dans la ville et va chez le roi. Il entre dans le palais et demande à parler à la princesse. Elle est dans le jardin. Elle joue avec des amies.

★★ 2 **Complète les phrases avec les mots suivants : chez, dans, à.**

Le mercredi, je vais .... ma mamie.

J'ai trouvé des champignons .... le bois.

J'habite .... une petite maison.

Je ne suis jamais allé .... Paris.

★ 3 **Continue à relier les écritures du même mot.**

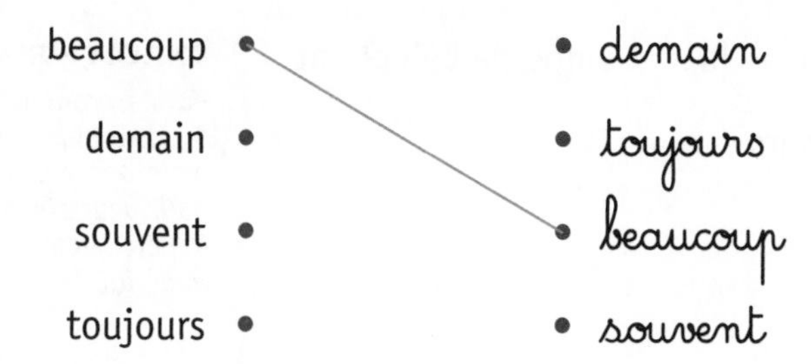

★★ 4 **Écris en lettres attachées les mots suivants.**

sur

contre

dans

Apprends par cœur l'orthographe de ces mots, ils te seront très utiles.

★★ 5 **Copie en lettres attachées la phrase suivante.**

Dans ma chambre, je joue avec mon chat.

D

Corrigés p. 2

....

Plus d'exercices et de conseils sur www.hatier-entrainement.com

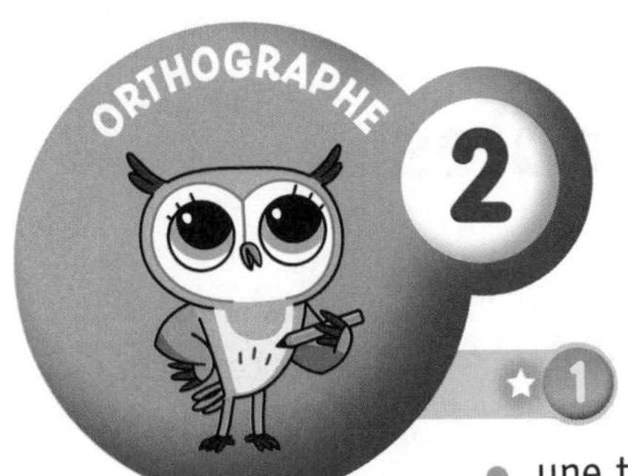

Les sons « t », « l », « r »

1 Souligne le mot si tu entends « t ».

- une tortue • un chat • une tarte • une forêt
- un robot • et • une tartine • une bêtise • un rat

La lettre **t** à la fin d'un mot ne s'entend presque jamais.

2 Même consigne si tu entends « l ».

- un lapin • une bille • un livre • une voile • une fille • un loir
- la lune • un lièvre • une école

Dans l'ex. 2, regarde bien si tu vois la lettre **i** devant **-lle** : dans ce cas, il s'agit du son « **iyeu** ».

3 Même consigne si tu entends « r ».

- un rat • un roi • un char • un rire • un cartable • une rose
- chaud • un radis • un rideau

4 Souligne le mot si tu vois cl, gl, bl.

- une clé • une glace • une plume • un clou • du blé • une fleur
- une cloche • un bol • une table

5 Complète les mots avec tr, cr ou br.

- une om.....e dans la nuit • une .....oute de pain • la .....ompe de l'éléphant
- la pince du .....abe • un .....icycle • un petit ours .....un
- le mai.....e d'école • un ar.....e • un .....as

CONSEILS PARENTS

Faites prononcer à votre enfant les mots des ex. 5 et 6 qu'il veut écrire. Répétez-les avec lui.

6 Complète les mots avec pr, gr ou dr.

- une .....une • un .....omadaire • une .....enouille • une .....appe de raisin
- une histoire .....ôle • une souris .....ise • un .....and garçon

7 Recopie la phrase suivante.

Il était une fois un robot.

Corrigés p. 2

Plus d'exercices et de conseils sur www.hatier-entrainement.com

La phrase

JE COMPRENDS

La phrase commence par une **majuscule** et se termine par un **point**.
C'est un **ensemble de mots ordonnés qui a un sens**.

CONSEILS PARENTS

Le sens est très important dans une phrase. Jouez à la phrase absurde avec votre enfant : glissez-y une absurdité et laissez votre enfant la corriger.

Compte le nombre de **points** pour retrouver le nombre de phrases dans l'ex. 1.

Pour l'ex. 2, souviens-toi qu'après un point, il y a toujours une **majuscule**.

★ 1 **Combien comptes-tu de phrases dans ce texte ?**

Pour faire une tarte aux abricots, il faut des abricots et un fond de tarte. Commence par faire ta pâte à tarte. Puis coupe les abricots en deux. Ensuite, tu les disposeras sur ton fond de tarte.

Réponse : ....

★★ 2 **Place les points dans ce texte.**

Il était une fois un petit garçon qui s'appelait Rémi Il était tout petit Il aimait beaucoup se raconter des histoires Il se mettait sous la table et personne ne le dérangeait

★★ 3 **Continue à séparer les mots à l'intérieur de chaque phrase.**

La/baleine/partchaqueannéedanslesmersduSud. Ellepréfèreavoirsespetitsdans del'eaupluschaude. Lesbaleineauxgrandissenttrèsvite. Ilssonttrèsgourmands. Lesmamansjouentbeaucoupaveceux. Lesbaleinessaventchanter.

★★★ 4 **On a mélangé des morceaux de phrases.**
Retrouve les phrases correctes et copie-les.

- La girafe miaule.
- Le canard a un long cou.
- Le chat a des plumes.

★★★ 5 **Remets les mots en ordre et écris la phrase que tu as trouvée.**

joue Le avec bébé biberon son.

𝓛

Corrigés p. 2

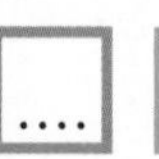

BRAVO ! Tu as fini le chapitre 2.
Rendez-vous sur le site www.hatier-entrainement.com
pour encore plus d'exercices et de conseils !

3 La syllabe

JE COMPRENDS

La syllabe est formée **d'une** ou **plusieurs lettres qui se prononcent ensemble** :

fée : **1 syllabe** chapeau → cha / peau : **2 syllabes**

CONSEILS PARENTS
Faites prononcer à votre enfant les mots qu'il veut écrire. Répétez-les avec lui.

Tape dans tes mains pour compter les syllabes d'un mot.

★ 1 **Sépare par des traits les syllabes à l'intérieur des mots.**
mar/mi/te

- raconter • livre • image • balai
- pirate • chuchoter • poule • tapis

★ 2 **Continue à relier chaque mot à son nombre de syllabes.**

saperlipopette •	• 2 syllabes
hippopotame •	• 6 syllabes
masque •	• 5 syllabes
cornichon •	• 2 syllabes
melon •	• 3 syllabes

★★ 3 **Remets les syllabes dans l'ordre et écris les mots en lettres attachées.**
rêt/fo → forêt

pi/gnon/cham .... phant/lé/é ....
son/mai .... vi/sion/té/lé ....
se/ne/mai .... che/man/di ....

4 **Complète les mots avec les syllabes mu, mi, ta.**
une four..... → une fourmi

- un .....bleau • un .....bouret • un ....roir • une .....ble
- un .....pis • un ....mosa • le .....lon • le ....guet
- une ....le • une ....nute

★★ 5 **Trouve la syllabe qui manque dans les mots suivants.**

- un au.....car • une voi.....re • une sar.....ne
- une tu.....pe • un cro.....dile • un pa.....pluie

Corrigés p. 3

Plus d'exercices et de conseils sur **www.hatier-entrainement.com**

VOCABULAIRE

3 Autour du conte

JE COMPRENDS

Un conte est un **récit d'aventures merveilleuses** où l'on retrouve souvent des mots comme : la fée, la sorcière, le magicien, le dragon, la formule magique, le sort, l'ogre, l'ogresse, le monstre, enchanté, rusé, courageux, le prince charmant, disparaitre, se transformer...

CONSEILS PARENTS

Achetez un joli carnet à votre enfant dans lequel il pourra coller la photocopie de la couverture de ses livres préférés, ainsi que dessiner ses héros ou héroïnes favoris.

★ 1 **Complète avec les mots : disparu, transformé.**

- Les miettes dispersées par le Petit Poucet ont ....
- La sorcière a jeté un sort au prince qui s'est .... en âne.

★★ 2 **Devinettes : aide-toi de la liste du vocabulaire à connaitre.**

- J'ai une baguette magique, un chapeau pointu, je suis la ....
- Je vole sur un balai, j'ai le nez crochu, je suis la ....
- Je mange les petits enfants et je suis très méchant, je suis l'....................... .

★★ 3 **Complète le texte avec les mots suivants : monstre, dragon, fée, magicien.**

Il était une fois une gentille .... qui s'appelait Clochette.

Un jour, elle entendit les cris horribles d'un ....

qui crachait du feu. Elle courut chez son ami le ....

pour qu'il l'aide à chasser ce .... de la forêt.

★★★ 4 **Certains mots ne sont pas à leur place. Barre-les.**

Pierre n'aime pas les sorcières, car il en a peur. Elles ont un balai crochu.

Elles s'envolent sur leur nez. Elles ont une marmite sur le dos quand elles font

chauffer leur hibou.

★★ 5 **Recopie en lettres attachées la phrase suivante.**

Il y a des monstres très gentils.

I

Corrigés p. 3

Plus d'exercices et de conseils sur www.hatier-entrainement.com

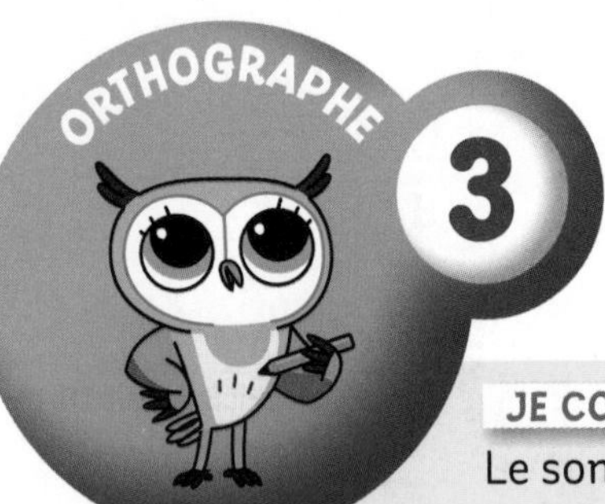

Le son « o »

JE COMPRENDS

Le son « **o** » peut s'écrire avec **o** comme dans une m**o**t**o**
ou **eau** comme dans le chap**eau** ,
ou encore **au** comme dans une **au**truche .

CONSEILS PARENTS
*Efforcez-vous de bien prononcer différemment les prénoms P**au**le et Charl**o**tte et de regarder avec votre enfant ce que font vos lèvres pour le son « **o** » long transcrit par **au** et le son « **o** » court transcrit par **o**.*

★ 1 Souligne le mot quand tu entends « o ».

- un chameau • un chamois • un vélo • une taupe • un autobus
- un ballon • un veau • un mouton • un bateau • un bâton

★ 2 Entoure le mot quand le son « o » s'écrit avec au ou eau.

- un anneau • une main gauche • un stylo • un taureau
- un carrosse • une pomme • un chaudron • un moineau

★★ 3 Complète les mots avec o ou eau.

- un ruiss........ • un chât........ • un ois........ • un m........t
- un p........t • un mart........ • un ....gre • une cl........che

★★ 4 Classe en trois colonnes les mots suivants.

dromadaire, râteau, château, landau, pomme, autruche, rose, fauteuil, bateau.

mots en **eau**	mots en **au**	mots en **o**
....	....	....
....	....	....
....	....	....

Regarde bien, un mot ne peut jamais commencer par **eau**.

★★★ 5 Remets les lettres en ordre et écris les mots.

un olvé

un groe

un earutâ

un qoc

un esau

une otmo

Corrigés p. 3

3 La phrase interrogative

JE COMPRENDS

Pour poser une **question**, on emploie une phrase **interrogative** : elle commence par une **majuscule** et se termine par un **point d'interrogation**.

Tu aimes les contes **?**

Aimes-tu les contes **?**

Est-ce que tu aimes les contes **?**

CONSEILS PARENTS

Quand vous posez une question à votre enfant, pensez à inverser parfois le verbe et le sujet.

★ 1 **Souligne les phrases interrogatives.**

Connais-tu l'histoire du Petit Poucet ? Tu es très drôle et très malin. Est-ce que les enfants ont peur des sorcières ? J'aime l'histoire des Trois Petits Cochons. Vas-tu au cinéma le dimanche ?

★ 2 **Entoure les points d'interrogation dans le texte suivant.**

Avez-vous déjà vu une tortue tordue ? Avez-vous déjà vu une puce en colère crier après un pou ? Madame la tortue, pressez-vous un peu ! Madame la puce, taisez-vous !

★ 3 **Place les points d'interrogation au bon endroit.**

Habites-tu dans une maison ou un immeuble Es-tu grand ou petit Préfères-tu Blanche-Neige ou Cendrillon Est-ce que ta maitresse raconte des contes

Écoute bien ce que fait ta voix quand tu poses une question : elle monte. Il te faut écrire un **?** à la fin de la phrase interrogative.

★★ 4 **Transforme les phrases pour poser une question, comme dans le modèle.**
Tu chantes bien. → Chantes-tu bien ?

- Tu joues bien.
- Nous sommes riches.

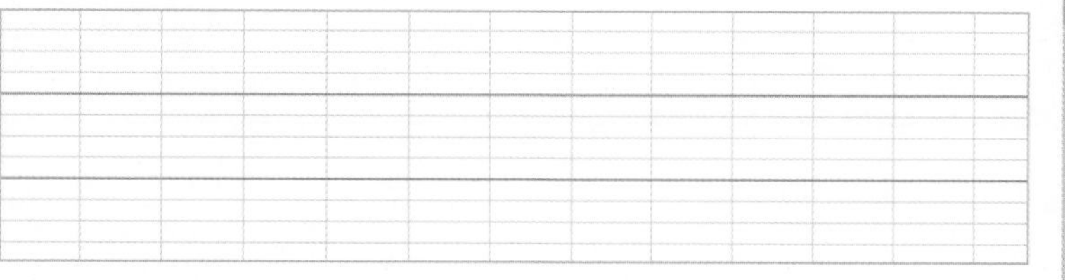

★★★ 5 **Retrouve la question et écris la phrase en lettres attachées.**
sifflement le Entends-tu merle du ?

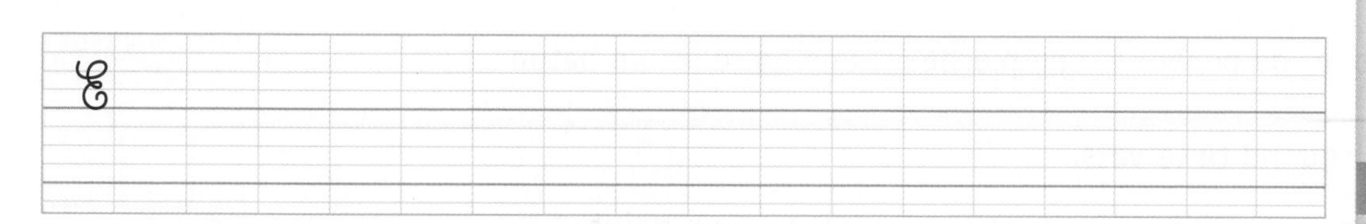

Corrigés p. 3

BRAVO ! Tu as fini le chapitre 3.
Rendez-vous sur le site www.hatier-entrainement.com pour encore plus d'exercices et de conseils !

4 Les graphies voisines

JE COMPRENDS

Pour lire vite et bien, fais très attention à l'**ordre des lettres**. Une seule lettre **change de place** et le mot **change de sens** : un lion et loin .

CONSEILS PARENTS

Jouez au jeu du pendu avec votre enfant pour qu'il prenne l'habitude d'être attentif au nombre de lettres dans un mot et à leur ordre.

1 Avec des feutres, souligne de la même couleur les mots identiques.

- pion, pont, pointu, pion, pentu, pointu, pion, pain.
- niche, miche, niche, riche, chien, riche, chien, fiche.
- patte, pâte, pâté, pâte, patte, rate, patte, pâté.

Ne va pas trop vite et lis les mots des ex. 1 et 2 à haute voix.

2 Dans chaque ligne, retrouve le mot souligné et entoure-le.

- poire : potier pois poire pion poire tiroir poire pot
- trois : trois toit toi trois tri roi trois
- mois : moi mie mois miaou mois noix

3 Remets les lettres en ordre pour former des mots. Écris-les.

eommc

icoiv

oucl

areg

éef

tecon

ttepa

ellfi

4 Entoure oi quand tu le vois.

- une voile • une viole • une croix • un choix • une poire
- un piano • du poivre • une pioche • une boite • un bâton

5 Entoure ion quand tu le vois.

- un camion • un lion • un citron • un pion • un point
- un crayon • un avion • un marmiton • attention

Corrigés p. 3

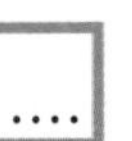

Plus d'exercices et de conseils sur www.hatier-entrainement.com

VOCABULAIRE 4

La montagne

JE COMPRENDS

Vocabulaire à connaitre : la vallée, le torrent, le sommet, l'aiguille, le glacier, le versant, la pente, le col, l'alpage, le téléphérique, le chalet, la marmotte, le chamois, le mélèze, la neige, l'ours, le ski, la luge...

★ 1 **Complète les phrases avec les mots suivants :**
vallée, versant, mélèzes, sommet, alpages.

Quand on part de la .... , on grimpe sur le ....

de la montagne. On rencontre d'abord la forêt de ....

Puis le sentier arrive aux .... , où les vaches broutent l'herbe.

Tout en haut, au .... , il y a de la neige.

★★ 2 **Devinettes : aide-toi de la liste du vocabulaire à connaitre.**

- Je suis un petit animal des montagnes qui dort l'hiver,

je suis la ....

- J'ai des petites cornes et je saute de rocher en rocher,

je suis le ....

- Avec la fonte des neiges, je grossis et deviens plus rapide,

je suis le ....

★★★ 3 **Retrouve l'ordre des mots et copie la phrase.**

sans chuter / doit savoir / Un skieur / skier.

Un

Dans tous ces mots, **télé** veut dire **loin**. Tu peux ainsi trouver le sens de mots inconnus à partir d'autres mots que tu connais déjà.

★★★ 4 **Retrouve la définition de chaque mot et relie par un trait.**

télésiège •	• remonte-pente individuel
télécabine •	• siège pour 2 ou 3 personnes accroché à un câble
téléphérique •	• petite cabine de 2 à 6 places
téléski •	• grande cabine pouvant transporter 100 personnes

Corrigés p. 3

Plus d'exercices et de conseils sur www.hatier-entrainement.com

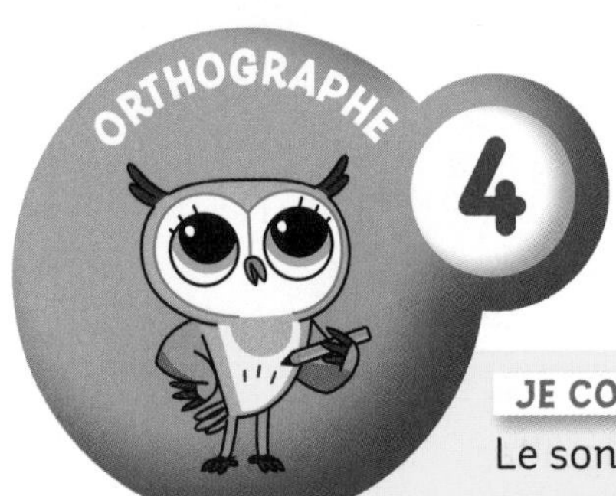

Le son « e »

JE COMPRENDS

Le son « **e** » peut s'écrire **e** comme dans le
ou **eu** comme dans du b**eu**rre
ou encore **œu** comme dans un **œu**f .

CONSEILS PARENTS
Dictez régulièrement les mots en œu à votre enfant pour qu'il les mémorise bien. Inventez une petite histoire avec les mots cœur, vœu, sœur, nœud pour l'aider à retenir leur orthographe.

★ 1 Entoure le mot quand tu entends « e ».

- le feu • jeudi • la lune • du vent • un nœud
- un creux • mon frère • un fromage • un poteau

★ 2 Entoure le mot quand tu vois eu.

- un alpiniste courageux • des cheveux bruns • un mur bleu
- des feux de forêt • des pneus gonflés • un cœur de pierre • des jeux

★★ 3 Complète les mots avec e ou eu.

J'aime bien ce j......

Le montagnard a une corde n.....ve ; il l'a achetée sam.....di.

Dans notre chalet, nous sommes d.....x enfants.

Nous sommes très h.....r.....x.

★ 4 Souligne les mots quand tu vois œu.

- La sœur de Guillaume a mal au cœur en téléphérique.
- Qui vole un œuf vole un bœuf.
- Connais-tu les nœuds de corde ?
- Je fais un vœu quand je vois une étoile filante.

Apprends par cœur les mots qui s'écrivent avec **œu**. Par exemple, le mot œuf rime avec bœuf.

★★ 5 Colorie les mots en rouge quand tu vois œu, en vert quand tu vois eu, en bleu quand tu vois e.

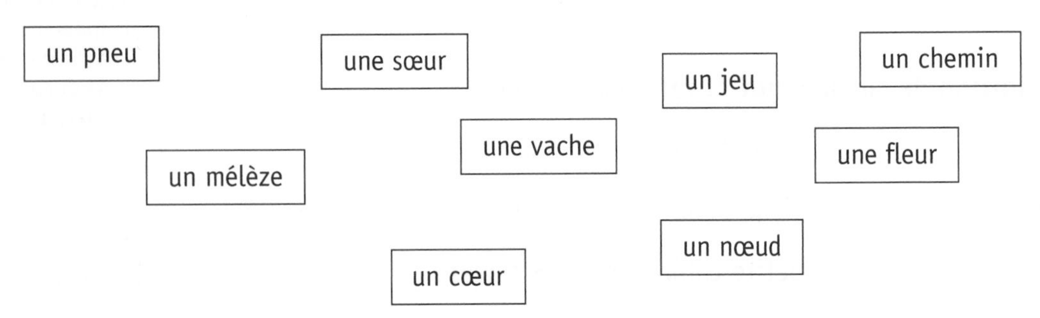

Corrigés p. 3

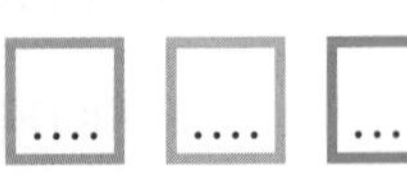

GRAMMAIRE

4 Le nom

JE COMPRENDS

Le nom est un **mot** qui sert à **désigner** une personne, un objet, un animal, etc. On distingue les **noms propres**, que l'on écrit toujours avec une majuscule, comme les noms de famille, les prénoms, les noms de ville ou de pays.
Les autres noms s'appellent des **noms communs**.

noms propres : Julie Dupont ; France

noms communs : (un) chalet ; (un) ours ; (un) montagnard

CONSEILS PARENTS

Jouez avec votre enfant à un jeu type baccalauréat où il devra faire des listes de noms d'animaux, de végétaux, de pays, etc., pour qu'il comprenne bien la notion de nom.

★★ 1 **Retrouve le nom correspondant à chaque dessin.**

....

....

....

★ 2 **Complète ces phrases avec les noms suivants : animaux, abris, vêtements.**

- Un nid, une niche, une cabane, une tente sont des ....
- Un oiseau, un aigle, un chamois, un ours sont des ....
- Une chaussette, une veste, un chapeau sont des ....

Regarde bien : devant un nom, on peut mettre un petit mot comme **un, une, des, mon, ton, son**.

★ 3 **Entoure les majuscules des noms propres dans le texte suivant.**

Mimi la marmotte est la meilleure amie de Sylvain. Ils habitent tous les deux près de Chamonix. Quand Sylvain revient de l'école, Mimi sort de sa cachette.

★ 4 **Écris ton prénom et ton nom en lettres attachées.**

Corrigés p. 4

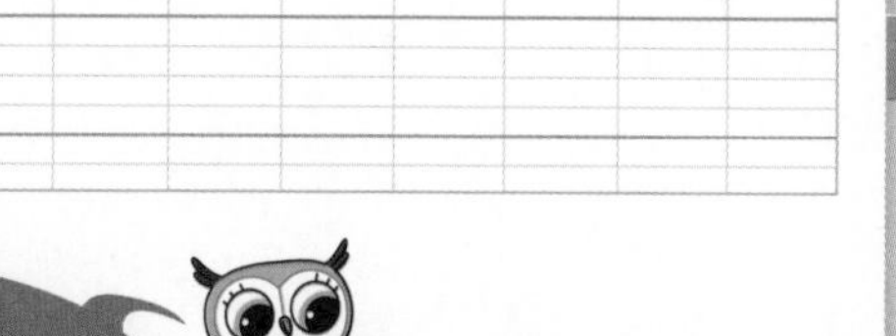

BRAVO ! Tu as fini le chapitre 4.
Rendez-vous sur le site www.hatier-entrainement.com
pour encore plus d'exercices et de conseils !

5 Les lettres voisines : b, p, d, q

JE COMPRENDS

Attention aux lettres qui se ressemblent par la graphie mais qui correspondent à des sons bien différents comme **b**, **p**, **d**, **q** :

un **b**anc (**b**), un **p**ain (**p**),
une **d**ent (**d**), une **q**uille (**q**).

CONSEILS PARENTS

Jouez avec votre enfant au jeu des ressemblances et différences entre dessins pour bien exercer son œil et son attention en lecture.

★ 1 **Entoure la lettre b en rouge, la lettre d en bleu.**

Sophie et Emmanuel jouent au ballon dans la dune. Soudain, on entend un grand bruit : « bouh » ; c'est la corne de brume qui prévient les bateaux que le brouillard arrive et qu'il faut rentrer vite au port. Sophie et Emmanuel dégringolent en bas de la dune et rentrent à la maison.

★ 2 **Entoure la lettre q en rouge et la lettre p en bleu.**

- La poire, la pomme, la pêche sont les fruits que je préfère.
- Les poires qui poussent dans le jardin sont très sucrées.
- Le pommier que mon grand-père a planté donne des pommes jaunes.
- Le pêcher est le premier arbre à fleurir au printemps.

★ 3 **Souligne la lettre q.**

- une quille • un coquelicot • quatre quiches dans un panier
- une trompette magnifique • une banquette

★ 4 **Colorie la lettre b.**

b p q b b p d q d b p q b b d p q b d p q b p p q q d p b q d

★ 5 **Colorie la lettre d.**

d b q d p b d d b q p b d d b p d q b b d d p

★ 6 **Dans chaque ligne, souligne très vite les mots quille et pile.**

- quille, plie, pluie, quille, pile, pâle, qui, qu'il, mille.
- poil, quille, quel, quoi, que, poids, pois, pile.

Corrigés p. 4

....

....

....

Plus d'exercices et de conseils sur **www.hatier-entrainement.com**

VOCABULAIRE 5

La mer

JE COMPRENDS

Vocabulaire à connaitre : la mer, la plage, la vague, le phare, la dune, le bateau, la falaise, le sable, les galets, le coquillage, la mouette, le crabe, le poisson, le filet, le casier de pêche, le voilier, la planche à voile, le cerf-volant, le seau, la pelle, le râteau...

★★ 1 Devinettes : aide-toi de la liste du vocabulaire à connaitre.

- Je sers à attraper les poissons mais aussi les papillons, je suis un ....
- Quand le vent pousse la mer, elle fait des ....
- J'ai des pattes, des pinces, une carapace, je suis un ....

★ 2 Complète avec les mots suivants : sable, mer, galets, plages.

- Au bord de la ...., les enfants aiment beaucoup les .... de sable pour faire des châteaux. Parfois, il n'y a pas de .... mais de gros cailloux ronds qu'on appelle des ....

★★ 3 Écris le nom de deux jouets que tu utilises sur la plage. Aide-toi de la liste des mots à connaitre.

-
-

★★ 4 Souligne l'intrus de chaque liste.

- le bateau, le navire, le chalet, le voilier, la barque.
- la crevette, l'huitre, la moule, le crabe, le chamois, le homard.

★★ 5 Recopie la phrase suivante.

Un pêcheur sachant pêcher pêche avec une canne à pêche.

Un

Essaie de dire la phrase de l'ex. 5 le plus vite possible pour t'entrainer à bien prononcer les mots.

Corrigés p. 4

....

Plus d'exercices et de conseils sur www.hatier-entrainement.com

ORTHOGRAPHE

5 Les sons « é » et « è »

JE COMPRENDS

Le son **« é »** (é « fermé ») peut s'écrire de plusieurs façons :

- **é** comme dans un oc**é**an
- **es** comme dans l**es**
- **ez** comme dans ch**ez**
- **er** comme dans jou**er**

CONSEILS PARENTS

Voici une idée de jeu : proposez à votre enfant des objets contenant le son « é » fermé, puis des objets contenant le son « è » ouvert. Si le son est correct, il doit les accepter, sinon il doit les refuser.

★ 1 Entoure le mot quand tu entends « é ».

● un épi ● un bébé ● une balle ● chanter ● un lézard ● une étoile

★★ 2 Complète avec é, ez, es ou er.

En ét....., je vais ch........ mon papi. Je vais pêch........ d........ crabes.

Ils ont une drôle de façon de march........ . Ils marchent sur le côt...... .

Prononce les mots de l'ex. 1 : si tes lèvres forment un petit sourire, alors c'est le son « **é** » et il peut y avoir un accent aigu sur la lettre **e**.

★ 3 Classe les mots suivants en trois colonnes : é, es ou er.

● un vélo ● manger ● les ● des ● jeter ● le boulanger ● un pré ● ces

mots en **é**	mots en **es**	mots en **er**
....	....	....
....	....	....
....	....	....

JE COMPRENDS

Le son « **è** » (è « ouvert ») peut s'écrire de plusieurs façons :

- **è** comme dans mon fr**è**re
- **ai** comme dans la fal**ai**se
- **ei** comme dans la n**ei**ge
- **ê** comme dans la p**ê**che

Prononce ces mots : si ta bouche s'arrondit, alors c'est le son « **è** », qui peut s'écrire de plusieurs façons.

★★ 4 Souligne le mot quand tu vois è ou ai, ei ou ê.

● se taire ● le père ● une bête ● une poupée ● une rivière ● neiger

★ 5 Recopie la phrase suivante.

L'océan est bleu.

Corrigés p. 4

....

GRAMMAIRE
5

L'article

JE COMPRENDS

Le petit mot que l'on trouve **devant** un nom commun – **la, le, les, un, une, des, mon, ce...** – s'appelle un **article**.

CONSEILS PARENTS

Montrez bien à votre enfant que l'article et le nom sont étroitement liés dans la chaine d'accord en genre et en nombre.

★ 1 Souligne les articles.

• un papillon • des oiseaux • le chat • le chien • la taupe • les tigres
• le crocodile • le crabe • la plage • une histoire • des contes • le livre

★★ 2 Complète les noms avec l'article le ou la.

• ..... baleine • ..... poisson • ..... fille • ..... garçon • ..... vague
• ..... dauphin • ..... montagne • ..... mer • ..... carotte • ..... poireau
• ..... maison • ..... gâteau • ..... livre • ..... plage • ..... dent

★ 3 Complète les noms avec l'article un ou une.

• .... lutin • .... fourmi • .... dragon • .... aigle • .... bateau
• .... rose • .... pantalon • .... chanson • .... jupe • .... pantin
• .... rat • .... chat • .... souris • .... fleur • .... maison

JE COMPRENDS

le et **la** s'écrivent **l'** devant une voyelle : **l'**abeille .

★★ 4 Écris les articles le, la, l', devant les noms suivants.

..... bébé	..... fée	..... école
..... télé	..... élève	..... souris
..... vague	..... vache	..... étoile

★ 5 Sépare les mots et recopie la phrase.

Lepoissonetlecrabebullentderireaufonddelamer.

L

Sépare les mots avec un trait vertical de couleur / avant de recopier la phrase.

Corrigés p. 4

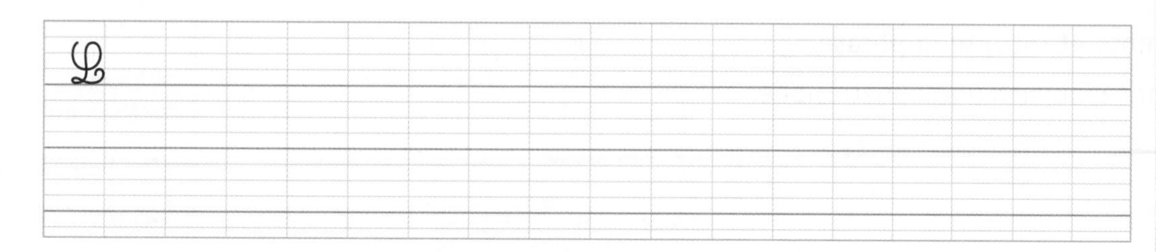
BRAVO ! Tu as fini le chapitre 5.
Rendez-vous sur le site www.hatier-entrainement.com
pour encore plus d'exercices et de conseils !

LECTURE

6 Les lettres muettes

JE COMPRENDS

À la fin de certains mots, tu peux trouver des lettres qui ne se prononcent pas ; ce sont les **lettres muettes** :

dans **un rat gris**, tu ne prononces ni le **t** de **rat** ni le **s** de **gris**.

CONSEILS PARENTS

Montrez à votre enfant que certaines lettres muettes servent à former des mots de la même famille. Pour cela, jouez à manipuler la langue en trouvant le petit des animaux : chat et chaton, rat et raton, etc.

La lettre muette est presque toujours située à la fin des mots.

★ 1 Souligne en rouge les lettres muettes.

- un tapis • un nid • un lit • un salut • neuf • un choix • un toit
- cinq • grand • un banc • un chat • une souris • un devoir • un tronc

★★ 2 Remplace les pointillés par la lettre qui ne se prononce pas.

- un siro.... • un cha.... • un mur ver.... • un four chau....
- souven.... • un robo.... • un toi....

★ 3 Écris le nom du papa des animaux suivants.

un renardeau

un éléphanteau

un chaton

un raton

★★ 4 Transforme ces expressions sur le modèle suivant.

un petit renard → une petite renarde

- un grand chien → une .... chienne
- un petit lapin → une .... lapine
- un méchant ogre → une .... ogresse
- un garçon élégant → une fille ....

★★ 5 Sépare les mots et recopie la phrase.

Lepetitchatgrisapouramieunesouristrèsjolie.

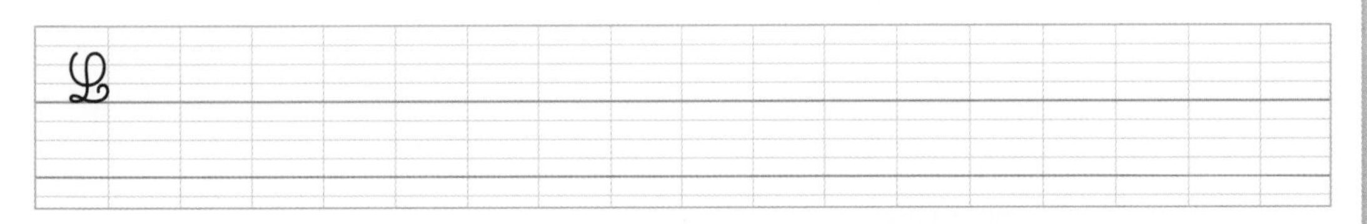

Corrigés p. 4

Plus d'exercices et de conseils sur www.hatier-entrainement.com

VOCABULAIRE 6

La forêt

JE COMPRENDS

Vocabulaire à connaitre : un bois, une feuille, une fleur, un champignon, un renard, un écureuil, un sanglier, un loup, une biche, un cerf, un faon, une cabane, un chêne, un sapin, un pommier, un tronc, une branche, l'écorce...

CONSEILS PARENTS

Faites recopier à votre enfant les mots difficiles comme feuille, faon, cerf. Dites-lui bien qu'on ne prononce pas le f à la fin du mot cerf.

1 **Place au bon endroit les mots suivants : le tronc, la branche, la racine.**

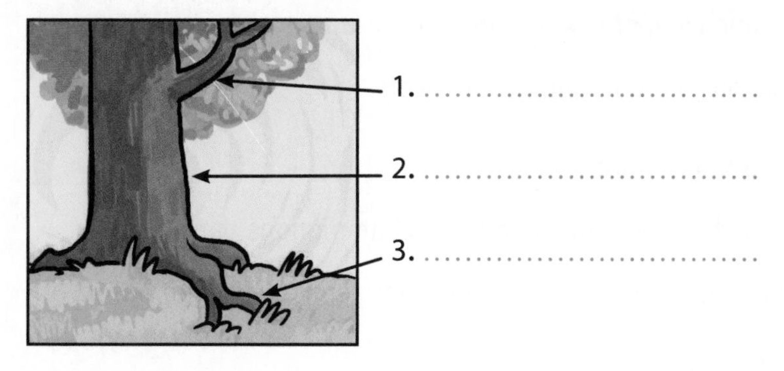

1. ....
2. ....
3. ....

2 **Devinettes : qui suis-je ?**

- Mon fruit est le gland, je suis le ....
- Mon fruit est la pomme, je suis le ....
- On me couvre de boules à Noël, je suis le ....
- Je suis la maman du faon, je suis la ....
- Je suis le papa du faon, je suis le ....
- J'ai une queue rousse et j'adore les noisettes, je suis l'................................ .

Fais attention : on dit Bambi le petit **« fan »** mais on écrit Bambi le petit **faon**.

3 **Complète avec les mots suivants : écorce, piquets, cabane, branches.**

Pour construire une .... , il faut trouver des grandes et des petites .... Il faut enlever l'...................... au bout des plus grandes branches et les tailler en pointe pour qu'elles servent de ....

4 **Recopie la phrase suivante en lettres attachées.**

Le sapin est le roi de la forêt.

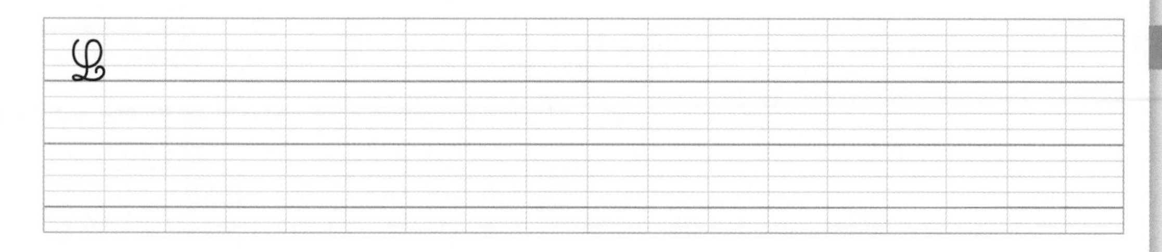

Corrigés p. 4

....

Le son « on »

JE COMPRENDS

Le son **« on »** s'écrit **on**, sauf devant **b** et **p** où il s'écrit **om** :
un tr**on**c , mais une **om**bre et une p**om**pe .
Attention ! On écrit : un b**on**b**on** .

CONSEILS PARENTS
Si votre enfant a encore un peu de mal à reconnaitre les diphtongues, utilisez un trait vertical et soulignez-lui les lettres qui sont à lire ensemble : om/bre.

Rappelle-toi que pour le son « **on** », la lettre **o** est mariée avec un **n** ou un **m**.

★ 1 Entoure le mot quand tu entends « on ».

- un pont • un point • une compote • un bonbon • un cornichon
- un champignon • un savon • du coton • un tricot

★ 2 Souligne les mots quand tu vois on ou om.

Il était une fois un pauvre bucheron qui ramassait des champignons dans les bois.
Il restait à l'ombre des sapins et des chênes et remuait les feuilles avec un bâton.

★ 3 Classe les mots suivants dans le tableau.

- la trompette • le bonbon • le bouton • l'ombre • le ballon • le pompier

mots en **om**	mots en **on**
....	....
....	....
....	....

★★ 4 Complète les mots avec on ou om.

- un mout........ • un coch........ • un marr........
- un mel........ • un p........pon • je t........be
- une tr........pe • un bât........

★★ 5 Recopie en lettres attachées la phrase suivante.

Le pompier a un gros camion rouge.

L

Corrigés p. 4

Plus d'exercices et de conseils sur **www.hatier-entrainement.com**

Le masculin et le féminin

JE COMPRENDS

- Quand, devant le nom, on peut mettre l'article **le** ou **un**, le nom est **masculin** : **un** garçon, **le** papa .
- Quand, devant le nom, on peut mettre l'article **la** ou **une**, le nom est **féminin** : **une** fille, **la** maman .

CONSEILS PARENTS

*Montrez à votre enfant qu'on peut trouver le genre d'un nom dans le dictionnaire, avec l'abréviation **m.** pour masculin et **f.** pour féminin, située à côté du nom.*

Tu peux remplacer **un** par **le** et **une** par **la**.

★ 1 Souligne l'article s'il est masculin.

- un chat • un perroquet • une branche • une rivière
- un frère • un tableau • la craie • le boulanger

★ 2 Souligne l'article s'il est féminin.

- un tigre • une chatte • une école • un cinéma
- une pomme • une fleur • un collier • une bague

★★ 3 Classe les mots suivants dans le tableau.

- un canard • une girafe • un coq • un téléphone • une auto • une chaise

mots **masculins**	mots **féminins**
....	....
....	....
....	....

★★ 4 Complète les noms avec l'article le ou la.

- ..... chèvre • ..... bébé • ..... pyjama • ..... bisou • ..... télévision
- ..... robot • ..... gâteau • ..... moutarde

★★★ 5 Colorie en rouge les mots masculins, en bleu les mots féminins.

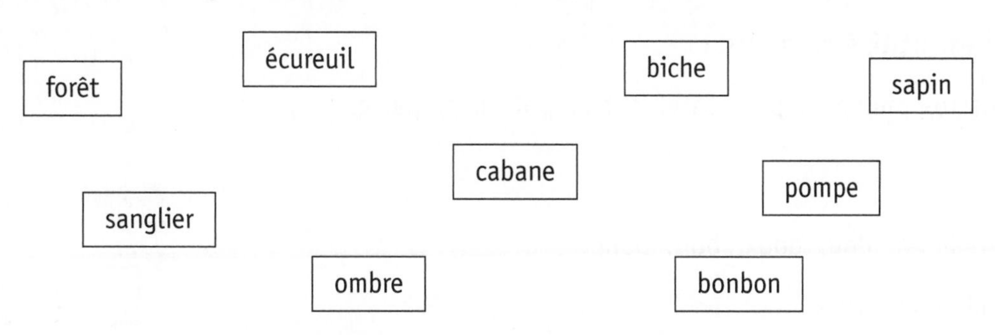

Corrigés p. 4-5

BRAVO ! Tu as fini le chapitre 6.
Rendez-vous sur le site www.hatier-entrainement.com pour encore plus d'exercices et de conseils !

7 Repérage de mots (1)

JE COMPRENDS

Pour lire vite et bien, **exerce ton œil à repérer rapidement** un **mot** dans une **ligne** ou une **colonne**.

CONSEILS PARENTS

Pour rendre les exercices plus ludiques, chronométrez votre enfant et incitez-le à battre son record.

Sélectionne tous les mots de l'ex. 1 qui commencent par **trois lettres identiques**. Puis reprends-les lettre par lettre pour bien trouver ceux qui sont identiques.

★ 1 **Pour chaque ligne, souligne d'une même couleur les mots identiques.**

- peinture pinceau peindre repeindre peinture simple peinture
- banane bonne faner bonbon banane bananier banane
- lampe longue langue lampe lampe langue longue lit loi langue
- promenade promener promeneur grimpe grimper promenade

★ 2 **Même consigne avec les mots de chaque colonne.**

orange	chat
orage	chaton
oranger	chatte
orage	chat

★★ 3 **Entoure le mot qui revient souvent dans ces lignes, puis écris-le.**

Notre petite chatte très sage dort sur son coussin. Soudain, elle voit un jeune merle sautiller. Elle n'est plus du tout une chatte très gentille. Elle se lève, court pour l'attraper. Mais le chien a vu la chatte et aboie : la chatte s'en va.

★★ 4 **Entoure le mot qui est utilisé cinq fois.**

patte, pâte, pot, patte, pie, pot, pot, pâte, patte, pot, pot, patte.

★★ 5 **Même consigne.**

don, bon, dur, don, bond, don, doux, bon, bond,
don, dur, don, bond, bon, doux.

Corrigés p. 5

Chouette
CP

6-7 ANS

Les corrigés

Français

- **La maitrise du langage** est au cœur du nouveau programme. Mieux les enfants manieront la langue, plus ils seront à l'aise dans les différents domaines. Ils repèreront plus facilement les vocabulaires spécifiques à chaque matière, comprendront mieux les énoncés et répondront plus précisément aux questions qui leur sont posées.
- **Au cycle 2** (CP, CE1 et CE2), votre enfant entre dans l'apprentissage du français par l'oral, l'écriture et la lecture. Parallèlement, il en apprend les règles. Il peut ainsi produire des énoncés mieux structurés, des écrits organisés et ponctués de plus en plus complexes, et surveiller son orthographe.

Cet ouvrage est conforme à la nouvelle orthographe
www.orthographe-recommandee.info

Hatier

Unité 1

LECTURE p.8

1 *Compter :*
Ma maison est très grande. 5 mots
Mais le jardin est tout petit. 6 mots
Un chat gris est mon ami. 6 mots

2 *Séparer :* Le/chat/de/Natacha/est/trop/gras. La/sorcière/a/mélangé/la/bave/du/crapaud/à/la/bave/de/la/limace.

3 *Séparer :* La/tortue/marche/à/petits/pas/vers/la/salade.
Le/vélo/de/Pierre/est/vert/et/bleu.

4 *Reformer les mots :* fourmi • porte • mouton • zèbre • chocolat • voiture

5 *Remettre dans l'ordre :* lune • joli • jupe • maman

VOCABULAIRE p.9

4 *Entourer :* **I**l était une fois une princesse qui s'appelait **P**risca. **E**lle était très belle et très douce.
Un jour, son père, le roi **A**démar, décida de la marier au prince **T**ourneboule...

ORTHOGRAPHE p.10

1 *Entourer :* À **midi**, la **souris** en bas **gris** fume sa **pipe**. Le loir dort en **pyjama**. L'oiseau est **parti** très loin sur une **ile** (île).

2 *Entourer :* un menu • le mur • l'écriture • la tortue • la lumière • un tissu • une voiture

3 *Entourer :* un rat • un lilas • une banane • râper • la tarte • un château • un haricot

4 *Compléter :* J'écris avec un stylo à plume. Le chat retombe toujours sur ses pattes. Dans ma poche, il y a un paquet de bonbons. Zut, j'ai perdu ma bague à la piscine. J'aime la fleur de lys.

5 *Colorier en rouge :* merci • lundi • radis • iris
Colorier en bleu : puce • légume • rue • bulle

ORTHOGRAPHE p.11

1 *Souligner :* une chanson • une souris • un tissu • un stylo • une trousse • six

2 *Souligner :* une cerise • un citron • un garçon • un cygne • cent • une ceinture

3

s	ss	c	ç	sc	t
seau	poisson	souci	balançoire	scie	opération
salade	tissu	science	reçu	science	attention
sac	bassin	cent	maçon	piscine	idiotie

4 *Souligner :* colline, conjugaison, vision.

5 réparation, invitation, explication, décoration, autorisation.

Unité 2

LECTURE p.12

1 *Retrouver :* un papillon • un château • une tortue • une dent

2 *Retrouver :* un papa • du pain • cinq • de la glace • une joue

3 *Retrouver :* du chocolat • un lilas • la lune • du beurre

4 *Retrouver :* une flamme • un poussin • un gorille • une gare

5 *Compléter :* Ali Baba est un pauvre homme qui habite dans une ville d'Orient. Alors qu'il travaille dans la forêt, il entend le galop de quarante chevaux. Il se cache derrière un gros arbre et regarde ce qui se passe. Il voit quarante voleurs avec des grands sacs.

VOCABULAIRE p.13

1 *Souligner :* Le chat enfile ses grandes bottes et part à Rome. Il marche dans la ville et va chez le roi. Il entre dans le palais et demande à parler à la princesse. Elle est dans le jardin. Elle joue avec des amies.

2 *Compléter :* Le mercredi, je vais chez ma mamie. J'ai trouvé des champignons dans le bois. J'habite dans une petite maison. Je ne suis jamais allé à Paris.

ORTHOGRAPHE p.14

1 *Souligner :* une tortue • une tarte • une tartine • une bêtise

2 *Souligner :* un lapin • un livre • une voile • un loir • la lune • un lièvre • une école

3 *Souligner :* un rat • un roi • un char • un rire • un cartable • une rose • un radis • un rideau

4 *Souligner :* une clé • une glace • un clou • du blé • une cloche • une table

5 *Compléter :* une ombre dans la nuit • une croute de pain • la trompe de l'éléphant • la pince du crabe • un tricycle • un petit ours brun • le maitre (maître) d'école • un arbre • un bras

6 *Compléter :* une prune • un dromadaire • une grenouille • une grappe de raisin • une histoire drôle • une souris grise • un grand garçon

GRAMMAIRE p.15

1 *Réponse :* 4 phrases.

2 *Placer un point après :* Rémi • petit • histoires • dérangeait

3 *Séparer :*
La/baleine/part/chaque/année/dans/les/mers/du/Sud.
Elle/préfère/avoir/ses/petits/dans/de/l'eau/plus/chaude.
Les/baleineaux/grandissent/très/vite.
Ils/sont/très/gourmands.
Les/mamans/jouent/beaucoup/avec/eux.
Les/baleines/savent/chanter.

4 *Retrouver :* La girafe a un long cou. Le canard a des plumes. Le chat miaule.

5 *Remettre dans l'ordre :* Le bébé joue avec son biberon.

Unité 3

LECTURE p.16

1 *Séparer :* ra/con/ter • li/vre • i/ma/ge • ba/lai • pi/ra/te • chu/cho/ter • pou/le • ta/pis

2 *Relier :* saperlipopette → 6 syllabes ; hippopotame → 5 syllabes ; masque → 2 syllabes ; cornichon → 3 syllabes ; melon → 2 syllabes

3 *Remettre dans l'ordre :* champignon • maison • semaine • éléphant • télévision • dimanche

4 *Compléter :* un tableau • un tabouret • un miroir • une table • un tapis • un mimosa • le talon • le muguet • une mule • une minute

5 *Compléter :* un autocar • une voiture • une sardine • une tulipe • un crocodile • un parapluie

VOCABULAIRE p.17

1 *Compléter :* Les miettes dispersées par le Petit Poucet ont disparu. La sorcière a jeté un sort au prince qui s'est transformé en âne.

2 *Devinettes :* J'ai une baguette magique, un chapeau pointu, je suis la fée. Je vole sur un balai, j'ai le nez crochu, je suis la sorcière. Je mange les petits enfants et je suis très méchant, je suis l'ogre.

3 *Compléter :* Il était une fois une gentille fée qui s'appelait Clochette. Un jour, elle entendit les cris horribles d'un dragon qui crachait du feu. Elle courut chez son ami le magicien pour qu'il l'aide à chasser ce monstre de la forêt.

4 *Barrer les mots :* balai, nez, marmite, hibou.

ORTHOGRAPHE p.18

1 *Souligner :* un <u>chameau</u> • un <u>vélo</u> • une <u>taupe</u> • un <u>autobus</u> • un <u>veau</u> • un <u>bateau</u>

2 *Entourer :* un anneau • gauche • un taureau • un chaudron • un moineau

3 *Compléter :* un ruisseau • un château • un oiseau • un mot • un pot • un marteau • un ogre • une cloche

4 *Classer :* mots en eau : râteau, château, bateau.
mots en au : landau, autruche, fauteuil.
mots en o : dromadaire, pomme, rose.

5 *Retrouver :* un vélo • un ogre • un râteau • un coq • un seau • une moto

GRAMMAIRE p.19

1 *Souligner :* <u>Connais-tu l'histoire du Petit Poucet</u> ? <u>Est-ce que les enfants ont peur des sorcières</u> ? <u>Vas-tu au cinéma le dimanche</u> ?

2 *Entourer :* Avez-vous déjà vu une tortue tordue **?** Avez-vous déjà vu une puce en colère crier après un pou **?**

3 *Placer les points d'interrogation :* Habites-tu dans une maison ou un immeuble ? Es-tu grand ou petit ? Préfères-tu Blanche-Neige ou Cendrillon ? Est-ce que ta maitresse (maîtresse) raconte des contes ?

4 *Transformer :* Joues-tu bien ? Sommes-nous riches ?

5 *Retrouver la question :* Entends-tu le sifflement du merle ?

Unité 4

LECTURE p.20

1 *Souligner :* pion, pointu • niche, riche, chien • patte, pâte, pâté

2 *Retrouver :*
<u>poire</u> : potier pois <u>poire</u> pion <u>poire</u> tiroir <u>poire</u> pot
<u>trois</u> : <u>trois</u> toit toi <u>trois</u> tri roi <u>trois</u>
<u>mois</u> : moi mie <u>mois</u> miaou <u>mois</u> noix

3 *Remettre dans l'ordre :* comme • voici • clou • rage *ou* gare • fée • conte • patte • fille

4 *Entourer :* une voile • une croix • un choix • une poire • du poivre • une boite (boîte)

5 *Entourer :* un camion • un lion • un pion • un avion • attention.

VOCABULAIRE p.21

1 *Compléter :* Quand on part de la vallée, on grimpe sur le versant de la montagne. On rencontre d'abord la forêt de mélèzes. Puis le sentier arrive aux alpages, où les vaches broutent l'herbe. Tout en haut, au sommet, il y a de la neige.

2 *Devinettes :* Je suis la marmotte. Je suis le chamois. Je suis le torrent.

3 *Retrouver la phrase :* Un skieur doit savoir skier sans chuter.

4 *Retrouver la définition :* télésiège → siège pour 2 ou 3 personnes accroché à un câble ; télécabine → petite cabine de 2 à 6 places ; téléphérique → grande cabine pouvant transporter 100 personnes ; téléski → remonte-pente individuel

ORTHOGRAPHE p.22

1 *Entourer :* le feu • jeudi • la lune • un nœud • un creux • mon frère • un fromage

2 *Entourer :* courageux • cheveux • bleu • feux • pneus • jeux

3 *Compléter :* J'aime bien ce jeu. Le montagnard a une corde neuve ; il l'a achetée samedi. Dans notre chalet, nous sommes deux enfants ; nous sommes très heureux.

4 *Souligner :*
La <u>sœur</u> de Guillaume a mal au <u>cœur</u> en téléphérique.
Qui vole un <u>œuf</u> vole un <u>bœuf</u>.
Connais-tu les <u>nœuds</u> de corde ?
Je fais un <u>vœu</u> quand je vois une étoile filante.

5 *Colorier en rouge :* une sœur • un cœur • un nœud
Colorier en vert : un pneu • un jeu • une fleur
Colorier en bleu : un chemin • un mélèze • une vache

GRAMMAIRE p.23

1 dessin 1 : un chamois ; dessin 2 : une montagne ; dessin 3 : un ours

2 *Compléter :* Un nid, une niche, une cabane, une tente sont des abris. Un oiseau, un aigle, un chamois, un ours sont des animaux. Une chaussette, une veste, un chapeau sont des vêtements.

3 *Entourer :* **M**imi, **S**ylvain, **C**hamonix, **S**ylvain, **M**imi.

Unité 5

LECTURE p.24

1 *Entourer la lettre* b *en rouge :* ballon • bruit • bouh • brume • bateaux • brouillard • bas

Entourer la lettre d *en bleu :* dans • dune • soudain • entend • dégringolent • dune

2 *Entoure la lettre* q *en rouge :* que • qui • que

Entourer la lettre p *en bleu :* poire • pomme • pêche • préfère • poires • poussent • pommier • grand-père • planté • pommes • pêcher • premier • printemps

3 *Souligner :* une <u>qu</u>ille • un co<u>qu</u>elicot • <u>qu</u>atre <u>qu</u>iches • magnifi<u>qu</u>e • une ban<u>qu</u>ette

6 *Souligner :* 3 fois le mot *quille*, 2 fois le mot *pile*.

VOCABULAIRE p.25

1 *Devinettes :* Je sers à attraper les poissons mais aussi les papillons, je suis un filet. Quand le vent pousse la mer, elle fait des vagues. J'ai des pattes, des pinces, une carapace, je suis un crabe.

2 *Compléter :* Au bord de la mer, les enfants aiment beaucoup les plages de sable pour faire des châteaux. Parfois, il n'y a pas de sable mais de gros cailloux ronds qu'on appelle des galets.

3 *Trouver :* un seau, une pelle, un râteau, un cerf-volant, etc.

4 *Souligner l'intrus :* le chalet • le chamois

ORTHOGRAPHE p.26

1 *Entourer :* un épi • un bébé • chanter • un lézard • une étoile

2 *Compléter :* En été, je vais chez mon papi. Je vais pêcher des crabes. Ils ont une drôle de façon de marcher. Ils marchent sur le côté.

3 *Classer :* mots en é : un vélo, un pré • mots en es : les, des, ces • mots en er : manger, jeter, le boulanger.

4 *Souligner :* se taire • le père • une bête • une rivière • neiger

GRAMMAIRE p.27

1 *Souligner :* <u>un</u> papillon • <u>des</u> oiseaux • <u>le</u> chat • <u>le</u> chien • <u>la</u> taupe • <u>les</u> tigres • <u>le</u> crocodile • <u>le</u> crabe • <u>la</u> plage • <u>une</u> histoire • <u>des</u> contes • <u>le</u> livre

2 *Compléter :* la baleine • le poisson • la fille • le garçon • la vague • le dauphin • la montagne • la mer • la carotte • le poireau • la maison • le gâteau • le livre • la plage • la dent

3 *Compléter :* un lutin • une fourmi • un dragon • un aigle • un bateau • une rose • un pantalon • une chanson • une jupe • un pantin • un rat • un chat • une souris • une fleur • une maison

4 *Compléter :* • le bébé • la télé • la vague • la fée • l'élève • la vache • l'école • la souris • l'étoile

5 *Séparer :* Le poisson et le crabe bullent de rire au fond de la mer.

Unité 6

LECTURE p.28

1 *Souligner la dernière lettre :* un tapi<u>s</u> • un ni<u>d</u> • un li<u>t</u> • un salu<u>t</u> • un choi<u>x</u> • un toi<u>t</u> • gran<u>d</u> • un ban<u>c</u> • un cha<u>t</u> • une souri<u>s</u> • un tron<u>c</u>

2 *Compléter :* un sirop • un chat • un mur vert • un four chaud • souvent • un robot • un toit

3 *Retrouver :* un renard • un éléphant • un chat • un rat

4 *Transformer :* une grande chienne • une petite lapine • une méchante ogresse • une fille élégante

5 *Séparer :* Le petit chat gris a pour amie une souris très jolie.

VOCABULAIRE p.29

1 1. la branche ; 2. le tronc ; 3. la racine

2 *Devinettes :* le chêne • le pommier • le sapin • la biche • le cerf • l'écureuil

3 *Compléter :* Pour construire une cabane, il faut trouver des grandes et des petites branches. Il faut enlever l'écorce au bout des plus grandes branches et les tailler en pointe pour qu'elles servent de piquets.

ORTHOGRAPHE p.30

1 *Entourer :* un pont • une compote • un bonbon • un cornichon • un champignon • un savon • du coton

2 *Souligner :* Il était une fois un pauvre <u>bucheron</u> (bûcheron) qui ramassait des <u>champignons</u> dans les bois. Il restait à l'<u>ombre</u> des sapins et des chênes et remuait les feuilles avec un <u>bâton</u>.

3 *Classer :* mots en om : la trompette, l'ombre, le pompier. mots en on : le bonbon, le bouton, le ballon.

4 *Compléter :* un mouton • un cochon • un marron • un melon • un pompon • je tombe • une trompe • un bâton

GRAMMAIRE p.31

1 *Souligner :* <u>un</u> chat • <u>un</u> perroquet • <u>un</u> frère • <u>un</u> tableau • <u>le</u> boulanger.

2 *Souligner :* <u>une</u> chatte • <u>une</u> école • <u>une</u> pomme • <u>une</u> fleur • <u>une</u> bague

3 *Mots masculins :* un canard • un coq • un téléphone

Mots féminins : une girafe • une auto • une chaise

4 *Compléter :* la chèvre • le bébé • le pyjama • le bisou • la télévision • le robot • le gâteau • la moutarde

5 *Souligner en rouge :* écureuil • sapin • sanglier • bonbon
Souligner en bleu : forêt • biche • cabane • pompe • ombre

Unité 7

LECTURE p.32

1 *Souligner d'une même couleur :* peinture • banane • lampe, longue, langue • promenade

2 *Souligner :* orage et chat

3 *Entourer :* chatte

4 *Entourer :* pot

5 *Entourer :* don

VOCABULAIRE p.33

1 *Compléter :* Je cours très vite, je suis la gazelle. Je suis un oiseau de proie, je suis la buse. Je ressemble à un pingouin, je suis le manchot.

2 *Compléter :* Voleur ou bavard comme une pie. Rusé comme un renard. Tout répéter comme un perroquet.

3 *Trouver :* chien, chat, cochon, canard, castor, etc.

4 *Compléter :* Le sanglier, la biche, le lièvre vivent en liberté, ils sont sauvages. Le chat et le chien sont nos amis ; ce sont des animaux domestiques.

ORTHOGRAPHE p.34

1 *Souligner :* un singe malin • un oursin • un poulain • un poussin • un câlin • un imperméable

2 *Entourer :* un bain • un pain • du raisin • une princesse • un refrain • la main • un train • du vin • demain • un félin

3 *Entourer :* la peinture • repeindre • impoli • imbuvable • éteindre • la ceinture • important • plein • imbattable

4 *Classer :* mots en in : un coquin, un chagrin, un lutin.
mots en ain : un nain, un bain, un refrain.
mots en ein : un sein, un rein, plein.

GRAMMAIRE p.35

1 *Souligner :* une princesse • une fée • un robot • un oiseau • un gorille • une chèvre

2 *Souligner en bleu :* des frites • des abricots • des fraises
Souligner en rouge : une saucisse • une bouteille • une salade • une framboise • une glace

3 *Écrire :* des poulains • des canards • des oies

4 *Souligner :* des renards • des filles • des garçons • des élèves • des maitresses (maîtresses) • des barques • des manchots • des bonbons • des caramels

5 *Ajouter :* des plumes • des rats • des chats • des champs • des raisins • des murs • des sacs • des oursins • des enfants

Unité 8

LECTURE p.36

1 *Souligner :* Il était une fois un poisson-chat qui avait pour ami un poisson-tigre. Ils jouaient à cache-cache avec le requin qui est le poisson le plus dangereux de l'océan. Mais le requin ne voulait manger ni le poisson-chat ni le poisson-tigre, car ils étaient beaucoup trop petits.

2 *Tu as trouvé le mot* marcher 4 *fois.*

3 *Souligner :* le mot farine apparait 3 fois.

4 *Trouver :* Le bébé rit aux éclats sous les bisous de sa maman.

VOCABULAIRE p.37

1 *Relier :* L'Italie → Les Italiens ; L'Espagne → Les Espagnols ; L'Allemagne → Les Allemands

2 *Devinettes :* l'Espagne • la France

3 *Relier :* La pizza → L'Italie ; La paella → L'Espagne ; Le camembert → La France ; Le chocolat → La Suisse

4 *Réécrire :* Italie, Espagne, Belgique, Suisse.

ORTHOGRAPHE p.38

1 *Souligner :* une antenne • une avalanche • s'envoler • une enveloppe • un éléphant • un danger • une dent

2 *Classer :* mots où tu vois *en* : invente, une tente, une entrée.
mots où tu vois *an* : un pantalon, un chant, une maman.

3 *Compléter :* la pendule • l'encre • un cancre • un banc • faire attention • une bande dessinée • un ange • une endive • une dent

4 *Souligner en bleu :* une ambulance • gambader • une lampe • un champion • une chambre / *Souligner en rouge :* un empereur • un employé • empoisonner • emballer

GRAMMAIRE p.39

1 *Rétablir l'ordre :* Mes parents ont commandé une télévision (1). Deux livreurs installent l'appareil (2). Je regarderai la télévision (3).

2 *Compléter :* Ce matin, nous sommes en vacances. Hier, nous étions à l'école. Demain, nous partirons chez notre tante.

3 Hier, tu as arrosé les fleurs (passé). Maintenant, tu aimes les épinards (présent). J'allumerai la lampe plus tard (futur).

4 Hier, Julien a mangé quinze tartines de beurre au miel (passé). Aujourd'hui, il est malade (présent). Il sera guéri demain (futur).

Unité 9

LECTURE p.40

2 *Compléter :* Le cowboy (cow-boy) a un lasso • Le cactus est une plante qui a des épines • Le monsieur fume sa pipe.

3 *Trouver :* empoté → pot ; cartonné → carton ; bêtement → bête

4 *Séparer :* ac/cé/lé/rer, hé/li/co/ptè/re

5 *Trouver (par exemple) :* dif/fi/ci/le/ment.

VOCABULAIRE p.41

1 *Compléter :* À l'école, on apprend à lire. On écrit sur les lignes de son cahier. On compte avec ou sans ses doigts.

2 *Compléter :*

Dans la classe De Monsieur Leblond, On élève des tritons.

Dans la classe De Mademoiselle Legris, On élève des souris.

Dans la classe De Madame Levert, On élève des hamsters.

Dans son bureau La directrice, elle, Élève plein d'écrevisses.

3 *Compléter :* Le samedi après-midi, je reste à la maison. Demain, j'irai à l'école. Hier, Pierre s'est trompé, il a appelé la maitresse (maîtresse) maman.

4 *Compléter :* Dans la cour de notre école, on a planté des marronniers. Il y a des paniers de basket. Sous le préau, on peut s'abriter quand il pleut. Beaucoup d'enfants mangent à la cantine. Comme les CP savent lire, ils peuvent choisir des livres à la bibliothèque.

ORTHOGRAPHE p.42

1 *Entourer :* la farine • la fourmi • le phare • le nénufar (nénuphar) • la géographie • une fée • plouf • le château fort • le bouffon

2 *Entourer :* un **f**romage • un **f**lan • un carre**f**our • un **ph**oque • un triom**ph**e

3 *Compléter :* un téléphone • du café • préférer • une photographie • une pharmacie • une girafe

4 *Classer :* tu entends « ch » : Chantal, Charles, Charlotte.
tu entends « k » : Christine, Chloé, Christophe.

GRAMMAIRE p.43

1 *Souligner :* Aujourd'hui, Isabelle <u>visite</u> le donjon. Hier, Isabelle <u>a visité</u> le donjon. Demain, Isabelle <u>visitera</u> le donjon.

2 *Souligner :* Aujourd'hui, Rémi <u>chante</u> trop fort. Hier, Rémi <u>a chanté</u> doucement. Demain, Rémi <u>chantera</u> bien.

3 *Compléter :* Le canard plonge dans la mare. Le chevalier monte à cheval. Le médecin soigne le blessé.

4 *Compléter :* Jérôme aime son vieux vélo. Il a une sonnette qui sonne bien. Il roule toujours bien à droite. Il est très content de ses promenades avec son papa.

5 *Compléter :* Mais si tu reviens demain, je te raconterai des histoires. Il est trop tôt, dit le corbeau.

Unité 10

LECTURE p.44

1 *Souligner :* Julien est malade, il reste <u>dans son lit</u>. Maman prépare un gâteau <u>au chocolat</u>. Papa fume <u>sa pipe</u>.

2 *Compléter :* Un jour, un poisson rouge trouva son bocal trop petit. Il décida de faire sa valise. Il mit sa clé sous son paillasson. Il voyagea longtemps et arriva au bord de la mer. Le poisson rouge la trouva salée.

3 *Définitions :* <u>Excellent,</u> c'est très bon.
<u>Chanter en chœur,</u> c'est chanter à plusieurs.

VOCABULAIRE p.45

1 *Compléter :* Le camion passe difficilement, car la rue est étroite. • Le chapeau de la fée est un chapeau pointu. • Ce sportif a des épaules très larges. • Le ballon de rugby est un ballon ovale.

2 *Écrire. Dessin 1 :* grognon ; *dessin 2 :* triste ; *dessin 3 :* content ; *dessin 4 :* étonné.

3 *Compléter :* Le ciel est bleu avec des nuages blancs. L'herbe est verte. Les rayons du soleil sont dorés.

ORTHOGRAPHE p.46

1 *Souligner :* un <u>camion</u> • un <u>kiwi</u> • un <u>cadre</u> • <u>quitter</u> • <u>quand</u>

2 *Compléter :* Connais-tu l'histoire du vilain petit canard ? Les voyageurs attendent le train sur le quai. En février, je suis allé faire du ski.

3 *Devinettes :* Je fais « cocorico », je suis le coq. J'ai une poche sur le ventre pour transporter mon bébé, je suis un animal d'Australie, je suis le kangourou.

4 *Souligner :* un <u>gilet</u> • un <u>jardin</u> • un <u>jouet</u> • un <u>général</u> • un <u>gendarme</u> • <u>joli</u> • <u>jamais</u> • un <u>journal</u> • une <u>jupe</u> • une <u>joue</u> • une <u>orange</u> • une <u>éponge</u> • un <u>singe</u>

GRAMMAIRE p.47

1 *Souligner :* La chatte miaule. → <u>Elle</u> miaule.
Le garçon joue aux billes. → <u>Il</u> joue aux billes.
La fée est très jolie. → <u>Elle</u> est très jolie.

2 *Remplacer :* Il mange une glace. Elle est sévère. Elle lit son journal. Il joue avec moi.

3 *Remplacer :* Elle broute. Elle boit. Elle ricane.

Unité 11

LECTURE p.48

1 *Souligner l'intrus :* Les rues sont couvertes d'un léger <u>bave</u>. • Le soleil ne <u>chante</u> pas à percer. • Des gouttes <u>d'huile</u> se forment sur les vitres.

2 *Souligner l'intrus :* Dans la classe, nous avons un poisson rouge, il est couvert <u>d'écrous</u>. Il a sept <u>jambes</u>. Il vit <u>sur</u> un aquarium.

3 *Rétablir.* Première histoire : Dans la classe, nous avons un hamster. Il est dans une cage verte. Il mange de la salade. Il se nourrit aussi de graines de tournesol.
Deuxième histoire : Aujourd'hui, c'est la rentrée des classes. Ariane entre au CE1. Elle a un cartable neuf. Elle est très contente de retrouver Clémence.

4 *Rétablir l'ordre :* Je dois prendre mon vélo pour aller au tennis (1). Mais je suis parti bien tard de la maison (2). J'arrive

au terrain de tennis, mon copain est déjà parti, tant pis (3). Alors je rentre à la maison ! (4).

5 *Écrire :* La nuit, tous les chats sont gris.

VOCABULAIRE p.49

1 *Compléter :* Le handball est un jeu d'équipe où on se lance le ballon uniquement avec la main. Le rugby se joue avec un ballon ovale. Le football est un jeu d'équipe où on se passe le ballon avec le pied.

2 *Compléter :* Nous allons à la piscine pour faire de la natation. Je fais du poney, je suis inscrit dans un club d'équitation.

3 *Relier :* natation → nageur ; athlétisme → athlète ; judo → judoka ; ski → skieur ; équitation → cavalier.

4 *Souligner :* L'arbitre siffle le début du match. Les joueurs veulent marquer des buts. Les deux camps sont très gais.

ORTHOGRAPHE p.50

1 *Entourer :* un chien • un lien • rien • un musicien • la viande • un triangle • un fortifiant • un avion • un pion • un champion • un lion

2 *Entourer :* un milieu • un curieux • un vieux • sérieux

3 *Écrire :* un mécanicien • un chirurgien • un pharmacien • un informaticien

4 *Compléter :* une Indienne • une martienne • une pharmacienne

GRAMMAIRE p.51

1 *Compléter :*

je chante	nous chantons
tu chantes	vous chantez
il ou elle chante	ils ou elles chantent

2 *Souligner :* je regarde, tu regardes, il regarde, nous regardons, vous regardez, ils regardent. J'aime, tu aimes, il aime, nous aimons, vous aimez, ils aiment.

3 *Souligner :* Je barbote, tu barbotes, il barbote, nous barbotons, vous barbotez, ils barbotent. Je plante, tu plantes, elle plante, nous plantons, vous plantez, ils plantent.

Unité 12

LECTURE p.52

1 La forêt est un monde mystérieux. Vrai
Au printemps, tu trouveras aussi des champignons. Faux
Si tu ne fais pas de bruit, tu pourras voir des animaux. Vrai
Au printemps, tu peux cueillir des roses dans la forêt. Faux

2 *Recopier :* des renards roux • des écureuils • des biches ou des faons • des oiseaux

3 *Recopier :* des violettes • des jonquilles • du muguet

4 *Souligner :* La forêt est un monde mystérieux, plein de fées, de sorcières, d'ogres et de magiciens.

5 *Recopier :* Promenons-nous dans les bois.

VOCABULAIRE p.53

1 *Relier :* mince → gros ; étroit → large ; gai → triste ; rapide → lent

2 *Trouver :* triste ou mécontent, laid, méchant.

3 *Remplacer :* Il était une fois un prince très gentil qui adorait (ou aimait) les enfants. Il était très beau.

4 *Trouver :* Le soleil se lève le matin. À midi, il fait jour. Le soir, le soleil se couche. Les phoques sont contents quand on leur donne des poissons à manger.

ORTHOGRAPHE p.54

1 *Souligner :* loin • besoin • le soin • le foin • le toit • le bois • le roi • l'oiseau • le choix

2 *Entourer :* du pain • un train • demain • peindre • une ceinture

3 *Compléter :* La voiture a des freins. • La peinture de la salle de bains est neuve. • Attachez vos ceintures ! • Joues-tu aux quatre coins ? • Prends soin de toi. • J'achète du pain et des croissants.

4 *Classer :* mots en oi : poisson, droit, toit. mots en oin : loin, foin, soin. mots en ein : ceinture, teinture, peinture. mots en ain : pain, nain, châtain.

GRAMMAIRE p.55

1 *Compléter :*

j'ai	nous avons
tu as	vous avez
il ou elle a	ils ou elles ont

2 *Souligner :* J'ai un chat gris. • Nous avons faim. • Vous avez chaud. • Ils ont un cartable neuf. • Elle a le nez rouge. • Tu as une jolie robe. • Elle a une grande maison. • Il a l'air stupide. • Ils ont des caleçons longs. • Vous avez une bonne note.

3 *Ajouter :* Tu as de grands pieds. • Nous avons des clowns dans notre classe. • Vous avez une maitresse (maîtresse) très gentille. • J'ai une grande envie de chocolat. • Tu as beaucoup de chance. • J'ai une petite sœur adorable.

4 *Compléter :* Elle a un petit chien. • Nous avons chaud. • Elles ont mal à la tête. • Vous avez des boutons de varicelle. • Tu as une glace au chocolat dans la main. • J'ai un crocodile.

5 *Compléter :*

j'ai envie de travailler	nous avons envie de travailler
tu as envie de travailler	vous avez envie de travailler
il a envie de travailler	elles ont envie de travailler

Unité 13

LECTURE p.56

1 Une drôle de voix au téléphone.

2 Géraldine.

3 Le marchand de sable qui est aussi le marchand de rêves.

4 *Réponse :* il y a 3 phrases qui posent des questions.

5 *Corriger :* – Oh ! vous êtes très gentil, dit la petite fille. – Allons, allons, dit le marchand de rêves. Je vais commencer par une histoire de taupe. Qu'en penses-tu ? – D'accord, je vous écoute, les oreilles bien ouvertes.

VOCABULAIRE p.57

1 *Souligner :* J'ai tapissé le mur de ma chambre en rose. Maman a fait de la confiture de mures (mûres). Le fruit mûr tombe tout seul.

2 *Compléter :* Je n'ai ni faim ni soif. L'oiseau construit son nid au printemps.

3 *Entourer :* Les enfants jouent dans la **cour** de récréation. En hiver, les jours deviennent plus **courts.** Tu **cours** très vite. On joue au tennis sur un **court**. Au **cours** de l'été, tu as beaucoup grandi.

4 *Écrire. Dessin 1* : un pain ; *dessin 2* : une reine ; *dessin 3* : un pin ; *dessin 4* : un renne.

ORTHOGRAPHE p.58

1 *Entourer :* une bille • un billet • une quille • une fille • une famille • une chenille

2 *Entourer en rouge :* un pyjama • un stylo • une mobylette • un mystère • une bicyclette • paysan
Entourer en bleu : un noyau • un crayon • un voyage • joyeux

3 *Compléter :* une coquille • le soleil brille • du gruyère • une pastille • un voyage • une chenille • une glace à la vanille • jouer aux billes

4 *Entourer :* un signe • la montagne • la vigne • la ligne • Guignol • un oignon

GRAMMAIRE p.59

1 *Compléter :*

je suis très beau	nous sommes très futés
tu es très grand	vous êtes charmants
il *ou* elle est sage	ils *ou* elles sont adorables

2 *Souligner :* Je suis de mauvaise humeur. • Il est malin. • Nous sommes au CP. • Vous êtes heureux. • Tu es un marsouin malin. • Ils sont grands.

3 *Compléter :* Je suis à la maison. • Nous sommes inquiets, car tu es en retard. • Elles sont tes meilleures amies. • Vous êtes un excellent élève. • Il est curieux de tout.

4 *Souligner en bleu :* J'ai • Elle a • Ils ont • Il a • Tu as
Souligner en rouge : Je suis • Nous sommes • Vous êtes • Il est • Tu es

5 *Conjuguer :* je suis, tu es, il *ou* elle est, nous sommes, vous êtes, ils *ou* elles sont.

Unité 14

LECTURE p.60

1 Dame souris avait huit petits. Faux
Dame souris a construit son nid dans un grenier. Vrai
Une des filles de Dame souris s'appelle Rosine. Vrai
Rosine ne veut pas quitter le grenier. Faux

2 *Souligner :* au début d'un livre ; d'un roman pour enfants ; de Rosine.

3 *Inventer :* Elle pourrait rencontrer un chat ou un monstre ou un habitant de la maison.

4 *Inventer. Par exemple* : Édouard et Charlie.

VOCABULAIRE p.61

1 *Retrouver :* a b c d e f g h i j k l m n o p q r s t u v w x y z.

2 *Entourer :*

m est après l	Vrai
b est avant i	Vrai
p est avant r	Vrai
l est avant k	Faux
e est après f	Faux

3 *Compléter :* b comme buse, c comme cornichon, d comme daim, e comme école, f comme femme, g comme garçon, h comme hibou, i comme image, j comme jouet, k comme képi, l comme loup, m comme maman, n comme non, o comme ours, p comme piano, q comme quille, r comme rire, s comme souris, t comme tortue, u comme usine, v comme vache, w comme wagon, x comme xylophone, y comme yoyo, z comme Zorro.

ORTHOGRAPHE p.62

1 *Entourer :* un écureuil • un éventail • pareil • de l'ail • un rail • un réveil • un fauteuil

2 *Entourer :* une abeille • une bouteille • une paille • une feuille • une oreille • une médaille

3 *Compléter :* une nouille • une oreille • la rouille • la taille • la paille • la ratatouille • une grenouille • une citrouille • une andouille • une bouteille

4 *Compléter :* un écureuil • une caille • une nouille • un réveil • une abeille • une feuille • une taille

5 *Écrire :* un réveil • une feuille • un soleil • une oreille • une abeille

GRAMMAIRE p.63

1 *Souligner :* Les filles sautent. • Les oiseaux chantent. • Les poissons nagent. • Les mamans jardinent.

2 *Remplacer :* Elles papotent. • Ils plongent. • Elles nagent. • Ils sonnent. Elles dansent.

3 *Transformer :* elles bercent • elles blessent • elles laissent • elles arrivent • elles cherchent

4 *Souligner en rouge :* Ils chantent. Elle joue. Les oiseaux chantent. La fille joue. Elles pédalent. Les filles pédalent. Il dine. Le monsieur dine. Elle sonne. La factrice sonne. Ils récitent. Les enfants récitent.

Les animaux

JE COMPRENDS

Vocabulaire à connaitre : un papillon, un renard, une buse, une chouette, une hirondelle, une pie **vivent dans nos campagnes.**

La baleine, le pingouin, le manchot, l'ours polaire **vivent dans les pays froids, où la glace et la neige recouvrent tout**.

La girafe, le lion, l'éléphant, la gazelle, le zèbre **vivent dans les pays chauds**.

CONSEILS PARENTS

Montrez à votre enfant sur une carte du monde les zones d'habitat de certains animaux.

★★ 1 Complète les phrases avec les mots buse, manchot, gazelle.

- Je cours très vite, je suis la ....
- Je suis un oiseau de proie, je suis la ....
- Je ressemble à un pingouin, je suis le ....

★★ 2 Complète les expressions suivantes avec un de ces mots : perroquet, renard, pie.

- Voleur ou bavard comme une ....
- Rusé comme un ....
- Tout répéter comme un ....

★★★ 3 Écris le nom de trois animaux dont le nom commence par la lettre c.

-
-
-

★★★ 4 Complète les phrases avec les mots suivants : domestiques, sauvages.

- Le sanglier, la biche, le lièvre vivent en liberté, ils sont ....
- Le chat et le chien sont nos amis ; ce sont des animaux ....

Essaie de deviner le sens du mot **domestique**, en sachant qu'il s'oppose à **sauvage**.

★ 5 Recopie en lettres attachées la phrase suivante.

Une puce joue avec un pou.

U

Corrigés p. 5

Plus d'exercices et de conseils sur **www.hatier-entrainement.com**

ORTHOGRAPHE

7 Le son « in »

JE COMPRENDS

Le son « **in** » peut s'écrire de plusieurs façons :
- **in** comme dans le lap**in**
- **ain** comme dans le poul**ain**
- **ein** comme dans le p**ein**tre.

Attention ! **in** devient **im** devant **p** ou **b** : **im**bécile, **im**primerie.

CONSEILS PARENTS
Félicitez votre enfant s'il écrit phonétiquement un mot de manière correcte. Montrez-lui ensuite la bonne orthographe et demandez-lui de la mémoriser.

Regarde bien ! Le son « **in** » s'écrit **-ain** uniquement en fin de mot. Au tout début d'un mot, tu ne peux trouver que **in-** ou **im-**.

★ 1 Souligne les mots quand tu entends « in ».

- un singe malin, un loir, un lion, un oursin, un ami.
- un poulain, un poussin, un câlin, un imperméable.

★ 2 Entoure le mot quand tu vois in et ain.

- un bain, un pain, du raisin, une princesse, un refrain, miaou.
- la main, un nid, un train, du vin, demain, un félin.

★ 3 Entoure le mot quand tu vois ein et im.

- la peinture, repeindre, le chien, impoli, imbuvable.
- bien, éteindre, la ceinture, important, plein, imbattable.

★★ 4 Complète le tableau avec les mots suivants.

- un coquin • un chagrin • un sein • un nain • un rein
- un bain • un lutin • plein • un refrain

mots en **in**	mots en **ain**	mots en **ein**
....	....	....
....	....	....
....	....	....

★ 5 Copie en lettres attachées la phrase suivante.

Un lapin avait du chagrin.

Un

Corrigés p. 5

Le singulier et le pluriel

JE COMPRENDS

- Quand on parle d'**une seule chose** ou d'**une seule personne**, le mot est au **singulier** : un livre, le prince .
- Quand on parle de **plusieurs choses** ou de **plusieurs personnes,** le mot est au **pluriel** : des livres, les princes .

CONSEILS PARENTS

Montrez à votre enfant que la marque du pluriel dans le groupe nominal ne s'entend pas mais qu'elle se voit. Elle est portée par la présence du s à la fin du déterminant et du nom.

★ 1 **Souligne les mots au singulier.**

- une princesse, une fée, un robot, des sorcières, un oiseau, des bonbons.
- des cailloux, des hiboux, des mules, un gorille, des oignons, une chèvre.

★ 2 **Souligne en bleu les mots au pluriel, en rouge les mots au singulier.**

- une saucisse • des frites • une bouteille • une salade
- des abricots • une framboise • une glace • des fraises

★★ 3 **Écris les mots suivants au pluriel, comme dans l'exemple.**

une vache → des vaches

- un poulain → des ....
- un canard → des ....
- une oie → des ....

Dans le mot **pluriel**, tu retrouves **plusieurs**. Plusieurs prend toujours un **s**. Mets donc un **s** au pluriel des noms : *des chats.*

JE COMPRENDS

Le plus souvent, on met un **s** à la fin du nom pour marquer le **pluriel** :

un ami → **des** amis

★ 4 **Souligne le s des noms au pluriel.**

- des renards, des filles, des garçons, des élèves, des maitresses.
- des barques, des manchots, des bonbons, des caramels.

★ 5 **Ajoute un s aux noms suivants.**

- des plume....
- des raisin....
- des champ....
- des rat....
- des mur....
- des oursin....
- des chat....
- des sac....
- des enfant....

Corrigés p. 5

BRAVO ! Tu as fini le chapitre 7.
Rendez-vous sur le site www.hatier-entrainement.com pour encore plus d'exercices et de conseils !

8 Repérage de mots (2)

JE COMPRENDS

Pour lire vite et bien, **exerce ton œil à repérer rapidement** un **mot** dans un **texte**.

CONSEILS PARENTS

Pour rendre les exercices plus ludiques, chronométrez votre enfant et incitez-le à améliorer son record.

1 Souligne le mot poisson dans le texte suivant.

Il était une fois un poisson-chat qui avait pour ami un poisson-tigre. Ils jouaient à cache-cache avec le requin qui est le poisson le plus dangereux de l'océan. Mais le requin ne voulait manger ni le poisson-chat ni le poisson-tigre, car ils étaient beaucoup trop petits.

2 Combien de fois trouves-tu le mot marcher dans ce texte ?
Entoure-le à chaque fois que tu le vois.

Quand un enfant entre au CP, il doit savoir marcher sur une ligne dessinée par terre et marcher en arrière. On lui demande aussi de savoir courir en zigzag. Quand il grimpe sur une poutre, il doit savoir marcher en équilibre. Enfin, quand la maitresse tape sur son tambourin, il doit savoir marcher en rythme.

Tu as trouvé le mot ***marcher*** ..... fois.

3 Souligne le mot farine dans le texte suivant.

Ingrédients :
- 250 g de farine
- 2 verres de lait
- 3 œufs
- 1 pincée de sel

LA PÂTE À CRÊPES

Faire un puits avec la farine.
Casser les œufs.
Mélanger la farine et les œufs en ajoutant le lait et le sel.

Essaie de retrouver le mot **farine** sans lire tout le texte, juste en cherchant les mots commençant par la lettre **f**.

4 Trouve le mot qui manque et recopie la phrase complète.

Le bébé aux éclats sous les bisous de sa maman.

Corrigés p. 5

Plus d'exercices et de conseils sur **www.hatier-entrainement.com**

8 Les pays

JE COMPRENDS

Vocabulaire à connaitre. Voici le nom des pays qui entourent la France : la Belgique, le Luxembourg, l'Allemagne, la Suisse, l'Italie, l'Espagne.

CONSEILS PARENTS

Regardez une carte d'Europe avec votre enfant. Si vous avez un projet de voyage ensemble, montrez-lui où vous partez.

Les noms de peuples sont les rares noms propres devant lesquels on peut mettre **un article**, au singulier ou au pluriel : un *Belge* / *les Belges*.

★ 1 **Continue à relier les mots qui vont ensemble.**

La France • • Les Espagnols
L'Italie • • Les Allemands
L'Allemagne • • Les Français
L'Espagne • • Les Italiens

★ 2 **Devinettes : quel pays suis-je ?**

- Je suis connue pour ma capitale, Madrid, et mes corridas :

je suis l'............................ .

- Ma capitale est Paris : je suis la ....

★ 3 **Relie ce qui va ensemble.**

La pizza • • La France
La paella • • L'Italie
Le chocolat • • L'Espagne
Le camembert • La Suisse

★★ 4 **Réécris correctement le nom de chacun de ces pays, comme dans l'exemple.**

Fracen → France
Iatlei → I..
spgaEne → E..
euBqigle → B..
eSisus → S..

★ 5 **Recopie en lettres attachées la phrase suivante.**

Paris est la capitale de la France.

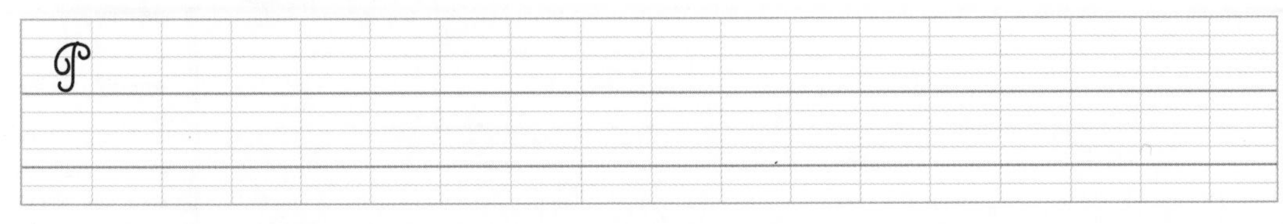

Corrigés p. 5

Plus d'exercices et de conseils sur www.hatier-entrainement.com

ORTHOGRAPHE

8 Le son « en »

JE COMPRENDS

Le son « **en** » s'écrit **an** comme dans la Fr**an**ce ou **en** comme dans la Prov**en**ce.

CONSEILS PARENTS

*Expliquez à votre enfant la différence entre les mots **en**cre de stylo et **an**cre de bateau.*

★ 1 Souligne le mot quand tu entends le son « en ».

- une antenne de télévision, une avalanche, s'envoler, une enveloppe.
- un éléphant, une dame, un danger, un carton, un camion, une dent.

Fais bien attention : ce n'est pas parce que tu vois les lettres **en** qu'il s'agit du son « **an** ». Il faut bien regarder si la lettre **n** n'est pas redoublée, alors c'est le son « **enne** », comme dans *un renne*, l'animal.

★ 2 Classe en deux colonnes les mots suivants.

- un pantalon • un chant • invente • une tente • une maman • une entrée

mots où tu vois **en**	mots où tu vois **an**
....	....
....	....
....	....

★★ 3 Complète les mots avec an ou en.

- la p.......dule • l'.......cre du stylo • un c.......cre
- un b.......c • faire att.......tion • une b.......de dessinée
- un ....ge • une ....dive • une d.......t

JE COMPRENDS

- *Attention !* **an** devient **am** devant **b** ou **p** : un b**am**bou, une **am**poule .
- *Attention !* **en** devient **em** devant **b** ou **p** : **em**bêter, **em**porter .

★ 4 Souligne en bleu les mots avec am, en rouge les mots avec em.

- une ambulance • un empereur • gambader • un employé • une lampe
- un champion • empoisonner • une chambre • emballer

★ 5 Recopie en lettres attachées la phrase suivante.

On chante doucement.

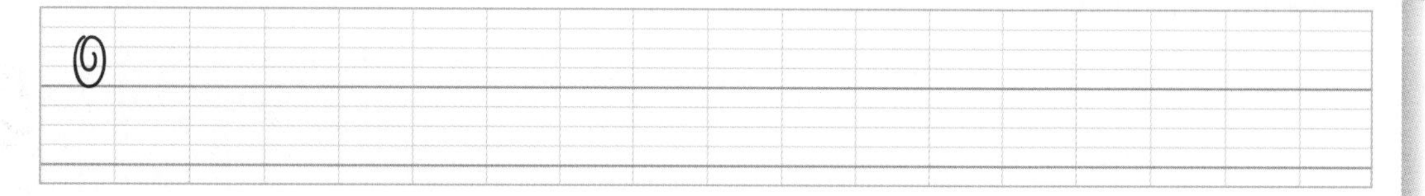

Corrigés p. 5

8 La notion du temps

JE COMPRENDS

- Hier, j'ai cueilli des cerises. C'est **le passé**.
- Maintenant, je cueille des cerises. C'est **le présent**.
- Demain, je cueillerai des cerises. C'est **le futur**.

CONSEILS PARENTS
Classez avec votre enfant les événements de sa journée et distinguez bien leur enchainement chronologique.

★★ 1 Numérote ces phrases pour les remettre dans l'ordre.

Je regarderai la télévision.

....

Mes parents ont commandé une télévision.

....

Deux livreurs installent l'appareil.

....

Regarde bien : le mot qui change dans les phrases selon le temps s'appelle le **verbe**.

★ 2 Complète avec Hier, Ce matin, Demain.

- ...., nous sommes en vacances.
- ...., nous étions à l'école.
- ...., nous partirons chez notre tante.

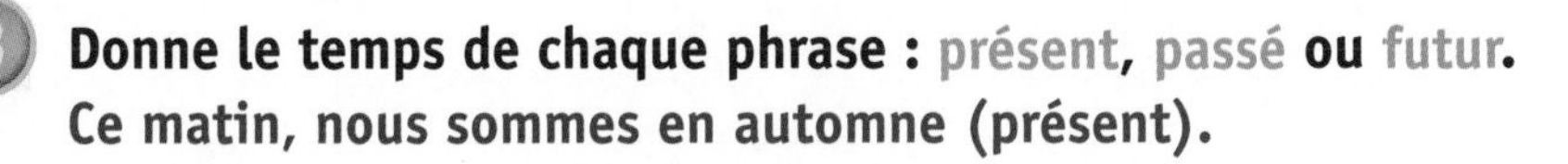

★★ 3 Donne le temps de chaque phrase : présent, passé ou futur.
Ce matin, nous sommes en automne (présent).

- Hier, tu as arrosé les fleurs. ....
- Maintenant, tu aimes les épinards. ....
- J'allumerai la lampe plus tard. ....

★★ 4 Écris entre les parenthèses quand la phrase est au présent, au passé ou au futur.

Hier, Julien a mangé quinze tartines de beurre au miel. (................................)

Aujourd'hui, il est malade. (................................)

Il sera guéri demain. (................................)

Corrigés p. 5

BRAVO ! Tu as fini le chapitre 8.
Rendez-vous sur le site www.hatier-entrainement.com pour encore plus d'exercices et de conseils !

LECTURE

9 Les mots difficiles

JE COMPRENDS

Certains mots sont difficiles à lire parce qu'ils viennent de l'**étranger** ou qu'ils sont **très anciens**. Il faut apprendre à les reconnaitre et à les écrire : shampooing – monsieur.

D'autres sont de **grands mots** formés à partir de **petits mots déjà connus** : rem**pot**er est formé sur **pot** (remettre dans un pot).

CONSEILS PARENTS

Entrainez votre enfant à lire les étiquettes dans les supermarchés ou sur les emballages. Faites-lui lire régulièrement tous les écrits qui l'entourent au quotidien.

Tous ces mots viennent d'autres langues (anglais, italien...), alors il faut que tu apprennes par cœur leur orthographe particulière.

1 **En t'aidant des dessins, lis les mots suivants.**

ketchup

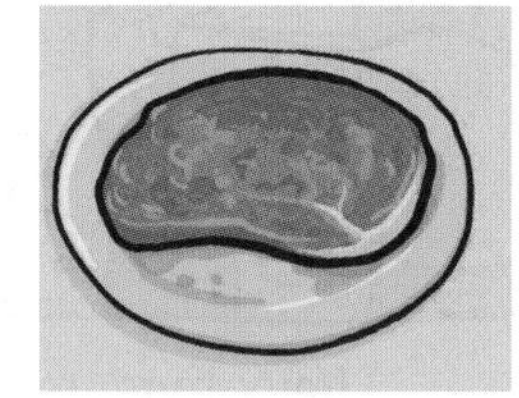

steak

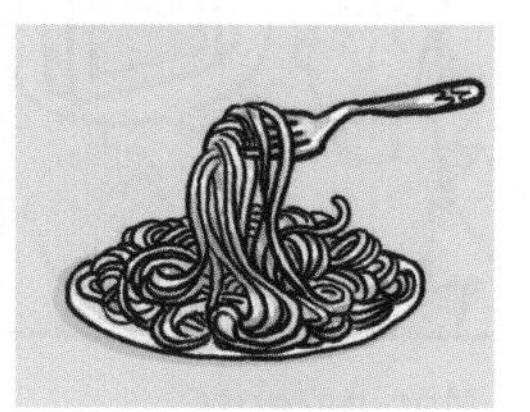

spaghetti

yoghourt

2 **Complète avec les mots suivants : cowboy, cactus, monsieur.**

- Le .... a un lasso.
- Le .... est une plante qui a des épines.
- Le .... fume sa pipe.

3 **Trouve un petit mot à l'intérieur de ces grands mots, comme dans l'exemple.**
rougeole → rouge

empoté → ....

cartonné → ....

bêtement → ....

4 **Sépare ces mots en syllabes, puis lis à voix haute.**
coccinelle → coc/ci/nel/le

accélérer → ....

hélicoptère → ....

5 **Trouve un mot d'au moins cinq syllabes comme hélicoptère. Écris-le.**

Corrigés p. 5-6

Plus d'exercices et de conseils sur www.hatier-entrainement.com

VOCABULAIRE

9 L'école

JE COMPRENDS

Vocabulaire à connaitre : Dans mon cartable, il y a une trousse, un cahier, un livre, une paire de ciseaux, une boite de crayons de couleur. Dans ma trousse, il y a un stylo-bille, un crayon à papier, des feutres, un taille-crayon, une règle, un bâton de colle, une gomme.

CONSEILS PARENTS

Dans la vie courante, essayez d'utiliser devant votre enfant des mots précis pour désigner les objets qui vous entourent. Cela lui permettra d'enrichir son vocabulaire.

1 Complète les phrases avec les mots suivants : écrit, lire, compte.

À l'école, on apprend à .... On .... sur les lignes de son cahier. On .... avec ou sans ses doigts.

2 Complète avec les mots suivants : écrevisses, hamsters, tritons, souris.

Aide-toi des rimes pour trouver la solution.

Dans la classe
De Monsieur Leblond,
On élève des ....

Dans la classe
De Mademoiselle Legris,
On élève des ....

Dans la classe
De Madame Levert,
On élève des ....

Dans son bureau
La directrice, elle,
Élève plein d'.......................... .

Corinne Albaut, « Les trois classes », *Comptines pour la rentrée des classes*, © Actes Sud, 1997.

3 Complète les phrases avec les trois groupes verbaux suivants : j'irai à l'école, je reste à la maison, il a appelé la maitresse.

Le samedi après-midi, ...

Demain, ...

Hier, Pierre s'est trompé, ... maman.

4 Complète les phrases avec les mots suivants : bibliothèque, basket, préau, marronniers, cantine.

Dans la cour de notre école, on a planté des .... Il y a des paniers de .... Sous le .... , on peut s'abriter quand il pleut. Beaucoup d'enfants mangent à la .... Comme les CP savent lire, ils peuvent choisir des livres à la ....

5 Recopie en lettres attachées la phrase suivante.

À l'école, j'apprends des poèmes et des comptines.

À

Corrigés p. 6

ORTHOGRAPHE

9 Les sons « f », « ph » et « ch »

JE COMPRENDS

Le son « **f** » peut s'écrire **f** comme dans **f**ort ou **ph** comme dans un élé**ph**ant.

CONSEILS PARENTS

Au CP, un enfant peut confondre les sons « f » et « v ». Faites bien prononcer les mots des trois premiers exercices à votre enfant.

★ 1 Entoure le mot quand tu entends « f ».

- la farine
- un élève
- la fourmi
- le phare
- le nénuphar
- la patte
- la géographie
- un plan
- une fée
- plouf
- le château fort
- le bouffon

★ 2 Entoure f et ph dans les mots suivants.

- un fromage
- un flan
- un carrefour
- un phoque
- un triomphe

★★ 3 Complète les mots avec f ou ph.

- un télé....... one
- du ca....... é
- pré....... érer
- une .... otographie
- une .... armacie
- une gira....... e

JE COMPRENDS

- Le son « **ch** » s'écrit **ch** : un **ch**eval.
- *Attention !* Dans les prénoms, **Ch** peut aussi se prononcer « **k** » : **Ch**ristophe.

★★ 4 Classe ces mots en deux colonnes.

- Christine
- Chantal
- Chloé
- Christophe
- Charles
- Charlotte

tu entends **« ch »**	tu entends **« k »**
....	....
....	....
....	....

Les mots dans lesquels les lettres **ch** se prononcent « **k** » sont souvent des mots savants. Retiens par exemple *orchestre* et *écho*.

★★ 5 Recopie en lettres attachées la phrase suivante.

On n'a jamais vu un éléphant aimer la charlotte au chocolat.

Corrigés p. 6

Plus d'exercices et de conseils sur www.hatier-entrainement.com

9 Le verbe

JE COMPRENDS

- Dans la phrase « Le faucon chasse. », le verbe est : « **chasse** ».
- Le verbe change avec les temps du **passé**, du **présent**, du **futur** :

Hier, le faucon a **chassé**.

Maintenant, le faucon chasse.

Demain, le faucon **chassera**.

CONSEILS PARENTS

Faites remarquer à votre enfant que le verbe est le seul mot de la phrase qui est modifié quand on change le temps : c'est un moyen assez fiable pour le repérer.

★ 1 **Souligne le verbe dans les phrases suivantes.**

- Aujourd'hui, Isabelle visite le donjon.
- Hier, Isabelle a visité le donjon.
- Demain, Isabelle visitera le donjon.

Regarde bien : le verbe **avoir** sert souvent à conjuguer un verbe au passé.

★ 2 **Même consigne.**

- Aujourd'hui, Rémi chante trop fort.
- Hier, Rémi a chanté doucement.
- Demain, Rémi chantera bien.

★★ 3 **Complète ces phrases avec les verbes suivants : plonge, soigne, monte.**

- Le canard .... dans la mare.
- Le chevalier .... à cheval.
- Le médecin .... le blessé.

★★ 4 **Complète les phrases avec les verbes suivants : est, aime, sonne, roule.**

Jérôme .... son vieux vélo.

Il a une sonnette qui .... bien.

Il .... toujours bien à droite.

Il .... très content de ses promenades avec son papa.

★★★ 5 **Complète les phrases avec les verbes dit et reviens.**

- Mais si tu .... demain, je te raconterai des histoires.
- Il est trop tôt, ... le corbeau.

Corrigés p. 6

BRAVO ! Tu as fini le chapitre 9.
Rendez-vous sur le site www.hatier-entrainement.com pour encore plus d'exercices et de conseils !

Lire, c'est comprendre

JE COMPRENDS

Pour trouver **le sens d'un mot** que tu ne connais pas, tu dois t'appuyer sur **le sens et le contexte de la phrase**.

CONSEILS PARENTS

Incitez votre enfant à deviner systématiquement le sens d'un mot inconnu par rapport au contexte.

★ 1 Souligne les mots qui conviennent.

- Julien est malade, il reste : dans la rivière / dans son lit / sur la lune.
- Maman prépare un gâteau : à la moutarde / en Chine / au chocolat.
- Papa fume : son pyjama / sa pipe / son journal.

On peut mettre sa clé sous le paillasson, pas sous un bocal !

★★ 2 Complète ces phrases à l'aide des mots suivants :

bocal, mer, valise, salée, paillasson.

Un jour, un poisson rouge trouva son .... trop petit.

Il décida de faire sa ....

Il mit sa clé sous son ....

Il voyagea longtemps et arriva au bord de la ....

Le poisson rouge la trouva ....

★★ 3 Lis les phrases suivantes.

- Je vous remercie, ce repas était <u>excellent</u>.
- Plusieurs personnes qui chantent ensemble <u>chantent en chœur</u>.

Pour chaque mot souligné voici deux définitions ; barre celle qui est fausse :

- <u>Excellent</u>, c'est très bon ou très mauvais.
- <u>Chanter en chœur</u>, c'est chanter tout seul ou chanter à plusieurs.

★ 4 Recopie en lettres attachées la phrase suivante.

Avez-vous déjà vu une vache danser la polka ?

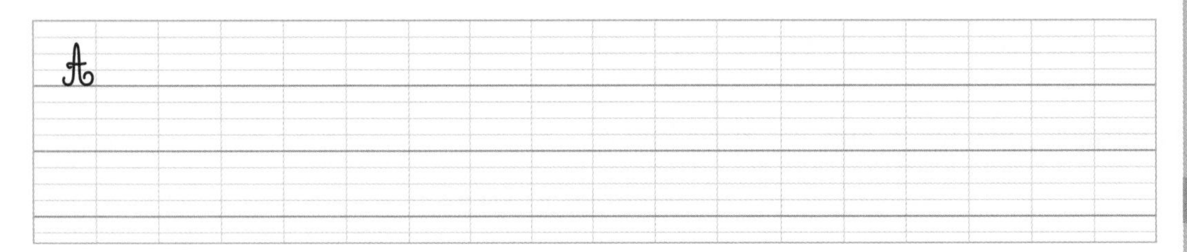

Corrigés p. 6

VOCABULAIRE

10 Pour faire un portrait

JE COMPRENDS

Vocabulaire à connaitre.

▸ Pour décrire quelque chose, tu vas parler :

– des **formes** :

rond, pointu, ovale, large, étroit, grand, petit ;

– des **couleurs** :

bleu, vert, jaune, orange, rouge, mauve, violet, blanc, noir, gris .

▸ Pour parler de quelqu'un, tu utiliseras des **émotions** :

content, triste, grognon, drôle, gentil, heureux, étonné .

CONSEILS PARENTS

Entrainez votre enfant à décrire les sentiments d'un personnage à partir d'une image donnée. Ce n'est pas facile.

1 **Complète les phrases avec les mots ovale, étroite, pointu, larges.**

• Le camion passe difficilement, car la rue est .... • Le chapeau de la fée est un chapeau .... • Ce sportif a des épaules très .... • Le ballon de rugby est un ballon ....

2 **Sous ces visages, écris les mots suivants :**
triste, grognon, étonné, content.

Dans **grognon**, tu retrouves le verbe **grogner** qui veut dire **ne pas être content**.

3 **Complète les phrases avec les mots suivants :**
dorés, bleu, blancs, verte.

• Le ciel est .... avec des nuages ....

• L'herbe est .... • Les rayons du soleil sont ....

Fais bien attention au sens des mots mais aussi à leur orthographe : les mots terminés par la lettre **-s** vont souvent ensemble.

4 **Recopie en lettres attachées la phrase suivante.**

Une petite goutte d'eau toute ronde devint un nuage tout gris.

U

Corrigés p. 6

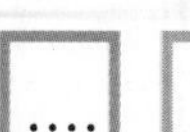

Plus d'exercices et de conseils sur www.hatier-entrainement.com

ORTHOGRAPHE

10 Les sons « k » et « j »

JE COMPRENDS

Le son « **k** » peut s'écrire :
- **qu** comme dans un **qu**ai ;
- **k** comme dans un **k**ilo ;
- **c**, sauf devant **e** et **i**, comme dans un **c**amarade, la **c**uisine, la **c**olle .

CONSEILS PARENTS
Montrez à votre enfant qu'il doit avoir toutes les graphies d'un son dans sa tête pour chercher la bonne orthographe d'un mot dans le dictionnaire. À jel, on ne trouve rien, donc on essaie gel.

1 Souligne quand tu entends « k ».

- un camion • un kiwi • un cadre • une cigale • quitter • quand

2 Remplace les pointillés par c, k ou qu.

- Connais-tu l'histoire du vilain petit .....anard ?
- Les voyageurs attendent le train sur le .....ai.
- En février, je suis allé faire du s.....i.

Souviens-toi que la lettre **q** ne sort jamais sans son amie la lettre **u**.

3 Devinettes : quel animal suis-je ?

- Je fais « cocorico », je suis le ....
- J'ai une poche sur le ventre pour transporter mon bébé, je suis un animal d'Australie, je suis le ....

JE COMPRENDS

Le son « **j** » s'écrit avec la lettre **j** comme dans un **j**eu , ou avec la lettre **g**, devant **e** ou **i**, comme dans le **g**el et la **g**irafe .

4 Souligne le mot quand tu entends « j ».

- un gilet • un gorille • un jardin • une vague
- un jouet • un général • un gendarme • une guenon
- un gamin • joli • jamais • un journal
- une jupe • une joue • une orange • une éponge • un singe

5 Recopie la phrase suivante.

Je joue dans les vagues.

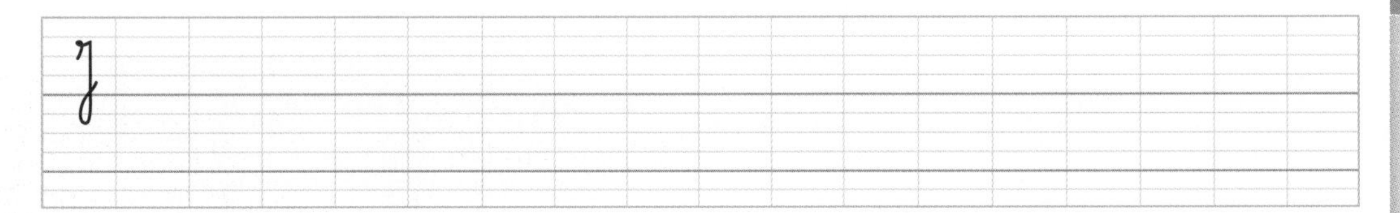

Corrigés p. 6

Plus d'exercices et de conseils sur www.hatier-entrainement.com

10 Le pronom personnel

JE COMPRENDS

- Un pronom personnel **remplace** un nom ou un **groupe nominal** :
  le chien aboie → **il** aboie
- On emploie **il** pour **remplacer** un nom **masculin singulier** :
  le garçon tombe → **il** tombe
- On emploie **elle** pour **remplacer** un nom **féminin singulier** :
  la fille tombe → **elle** tombe

CONSEILS PARENTS
Votre enfant ne comprend pas toujours dans un texte à quel personnage renvoient les pronoms personnels. Demandez-lui alors qui est désigné(e) par il ou elle.

★ 1 Souligne les pronoms il ou elle dans les phrases suivantes.

- La chatte miaule. → Elle miaule.
- Le garçon joue aux billes. → Il joue aux billes.
- La fée est très jolie. → Elle est très jolie.

★★ 2 Remplace le mot souligné par le pronom il ou elle et réécris la phrase sur le modèle suivant. Sophie se baigne. → Elle se baigne.

- Pierre mange une glace.
- La maitresse est sévère.
- Maman lit son journal.
- Papa joue avec moi.

Pour désigner une personne, on emploie soit un **nom**, soit un **pronom**, mais pas les deux en même temps.

★★ 3 Même consigne.

- La vache broute.
- La petite fille boit.
- La sorcière ricane.

Corrigés p. 6

BRAVO ! Tu as fini le chapitre 10.
Rendez-vous sur le site www.hatier-entrainement.com

11 Lecture-compréhension (1)

JE COMPRENDS

Voici quelques jeux de lecture qui te permettront de vérifier que tu comprends bien ce que tu lis.

CONSEILS PARENTS

Essayez de faire deviner à votre enfant la suite d'une phrase ou de lui faire rectifier une phrase absurde. Le bon lecteur anticipe toujours la suite de ce qu'il est en train de lire.

★ 1 **Souligne l'intrus qui s'est glissé dans chacune de ces phrases.**

- Les rues sont couvertes d'un léger bave.
- Le soleil ne chante pas à percer.
- Des gouttes d'huile se forment sur les vitres.

★ 2 **Même consigne.**

Dans la classe, nous avons un poisson rouge, il est couvert d'écrous.

Il a sept jambes. Il vit sur un aquarium.

Un écrou sert à tenir une vis.

★★ 3 **Deux histoires ont été mélangées : souligne en rouge les phrases de la première histoire, en bleu les phrases de la deuxième histoire.**

Dans la classe, nous avons un hamster. Aujourd'hui, c'est la rentrée des classes,

Ariane entre au CE1. Il est dans une cage verte. Il mange de la salade.

Elle a un cartable neuf. Elle est très contente de retrouver Clémence.

Il se nourrit aussi de graines de tournesol.

Repère bien quel est le mot repris par **il** et celui repris par **elle**.

★★ 4 **Numérote ces phrases pour retrouver l'ordre du texte.**

Alors je rentre à la maison ! (.....)

J'arrive au terrain de tennis, mon copain est déjà parti, tant pis. (.....)

Je dois prendre mon vélo pour aller au tennis. (.....)

Mais je suis parti bien tard de la maison. (.....)

★★★ 5 **Il manque deux mots dans cette phrase, trouve-les et recopie la phrase entière.**

La nuit, tous chats gris.

𝓛

Corrigés p. 6-7

....

Le sport

JE COMPRENDS

Vocabulaire à connaitre : le stade, le tableau d'affichage, les gradins, l'athlétisme, le saut, l'escrime, le rugby, le handball, le football, le basketball, le ski, la natation, l'équitation, le judo.

CONSEILS PARENTS

Montrez bien à votre enfant que les noms formés à partir de ball en anglais se finissent tous en -all sans la lettre e.

En anglais, le mot **hand** signifie la **main** et le mot **foot** désigne le **pied**.

1 **Complète les phrases avec les mots rugby, handball, football.**

Le .... est un jeu d'équipe où on se lance le ballon uniquement avec la main. Le .... se joue avec un ballon ovale.

Le .... est un jeu d'équipe où on se passe le ballon avec le pied.

2 **Complète les phrases avec les mots équitation, natation.**

- Nous allons à la piscine pour faire de la ....
- Je fais du poney, je suis inscrit dans un club d'.................................... .

3 **Continue à relier par un trait les mots qui vont ensemble.**

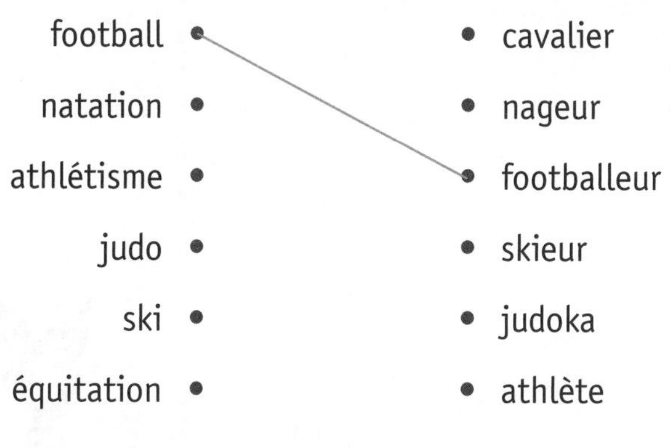

4 **Souligne au moins quatre mots qui appartiennent au vocabulaire du sport.**

L'arbitre siffle le début du match. Les joueurs veulent marquer des buts.

Les deux camps sont très gais.

5 **Recopie la phrase suivante.**

Que préfères-tu : le ballon rond ou le ballon ovale ?

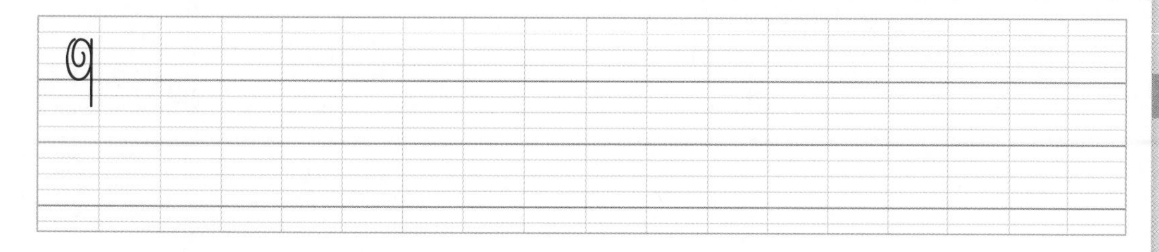

Corrigés p. 7

Plus d'exercices et de conseils sur **www.hatier-entrainement.com**

11 Les sons « ion », « ian », « ien » et « ieu »

JE COMPRENDS

Attention à l'orthographe du son **« ion »** comme dans la natat**ion**, du son **« ian »** comme dans la v**ian**de, du son **« ien »** comme dans un ch**ien** et du son **« ieu »** comme dans un l**ieu**.

CONSEILS PARENTS

Un ensemble de trois lettres prononcées ensemble s'appelle un trigramme. Matérialisez-les dans les mots que votre enfant a du mal à lire par une accolade : lion ou musicien.

1 **Entoure les mots quand tu entends « ian », « ion » ou « ien ».**

- un chien, un lien, un diner, rien, une lime, un musicien.
- la viande, un nain, un bain, un triangle, un fortifiant.
- un avion, un pion, un point, un pont, un champion, un lion.

Fais très attention à l'ordre des lettres dans les mots de l'ex. 1 : ne confonds pas **ian** et **ain**.

2 **Entoure les mots quand tu vois ieu.**

- un milieu • un curieux • un vieux
- heureux • sérieux • jeune

3 **Écris les noms de métier qui correspondent aux pratiques suivantes.**

la musique → **un musicien**

- la mécanique → un ....
- la chirurgie → un ....
- la pharmacie → un ....
- l'informatique → un ....

4 **Complète sur le modèle suivant.**

un gardien → **une gardienne**

- un Indien → une ....
- un martien → une ....
- un pharmacien → une ....

N'oublie pas qu'il faut bien redoubler le **n** devant la lettre **e** au féminin : *une chienne.*

5 **Recopie la phrase suivante.**

Le mécanicien a réparé le camion du champion.

L

Corrigés p. 7

Plus d'exercices et de conseils sur www.hatier-entrainement.co

Le verbe sauter

JE COMPRENDS

Les pronoms **je**, **tu**, **il** ou **elle**, **nous**, **vous**, **ils** ou **elles** se placent **devant le verbe** et le **verbe change**. Observe :

je saute	**nous** sautons
tu sautes	**vous** sautez
il ou **elle** saute	**ils** ou **elles** sautent

CONSEILS PARENTS

Faites écrire les conjugaisons à votre enfant pour qu'il les mémorise mieux. Quand il les récite, il ne prend pas conscience des lettres muettes.

Souviens-toi que le pronom personnel **tu** ne sort jamais sans son **s** !

★ 1 Place les pronoms personnels qui manquent.

- je chante
- .... chantes
- il *ou* elle chante
- .... chantons
- .... chantez
- ils *ou* elles chantent

★ 2 Souligne la partie du verbe qui porte le sens.
je donne, tu donnes, il donne, nous donnons, vous donnez, ils donnent.

- je regarde, tu regardes, il regarde, nous regardons, vous regardez, ils regardent.
- j'aime, tu aimes, il aime, nous aimons, vous aimez, ils aiment.

★ 3 Souligne la partie du verbe qui change, c'est-à-dire les terminaisons.
je donne, tu donnes, il donne, nous donnons, vous donnez, ils donnent.

- je barbote, tu barbotes, il barbote, nous barbotons, vous barbotez, ils barbotent.
- je plante, tu plantes, elle plante, nous plantons, vous plantez, ils plantent.

★★ 4 Recopie ce verbe.

je danse, tu danses, il danse, nous dansons, vous dansez, ils dansent.

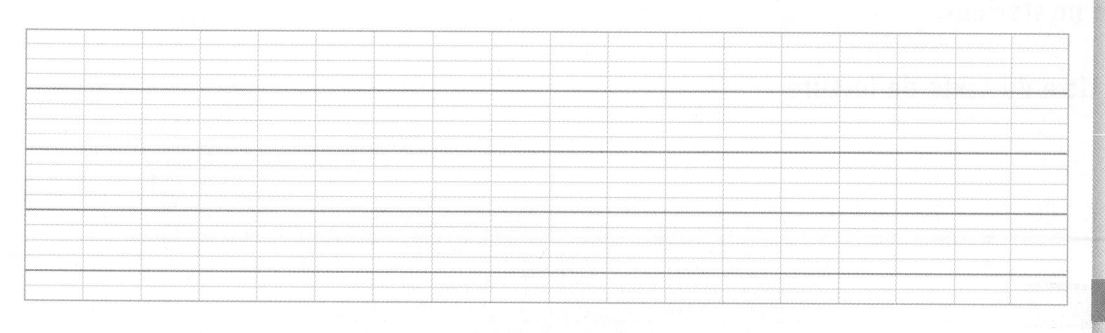

Corrigés p. 7

BRAVO ! Tu as fini le chapitre 11.
Rendez-vous sur le site www.hatier-entrainement.com

LECTURE

12 Lecture-compréhension (2)

JE COMPRENDS

Voici un texte : lis-le attentivement et réponds aux questions qui suivent.

Promenons-nous dans les bois

La forêt est un monde mystérieux, plein de fées, de sorcières, d'ogres et de magiciens. Tu y trouveras aussi, si tu sais bien regarder et ne pas faire trop de bruit, des renards roux, des écureuils, des biches et leurs faons et beaucoup d'oiseaux. En automne, tu trouveras aussi des champignons, mais fais bien attention, tous ne sont pas tes amis. Méfie-toi du plus joli avec son chapeau rouge à pois blancs, il peut t'empoisonner. Au printemps, tu peux cueillir des violettes, des jonquilles et du muguet.

CONSEILS PARENTS

Demandez parfois à votre enfant de dessiner ce qu'il vient de lire car comprendre, c'est se faire une image mentale d'un texte.

Souligne soigneusement au crayon à papier les mots du texte qui te permettent de répondre aux questions des exercices 1 à 3.

★ 1 Entoure : vrai ou faux ?

- La forêt est un monde mystérieux. Vrai Faux
- Au printemps, tu trouveras aussi des champignons. Vrai Faux
- Si tu ne fais pas de bruit, tu pourras voir des animaux. Vrai Faux
- Au printemps, tu peux cueillir des roses dans la forêt. Vrai Faux

★★ 2 Recopie trois noms d'animaux des bois que tu trouveras dans le texte.

- ....
- ....
- ....

★★ 3 Recopie les trois noms de fleurs qui sont dans le texte.

- ....
- ....
- ....

★★★ 4 Souligne dans le texte de lecture la phrase qui compare la forêt à un monde mystérieux.

★★ 5 Recopie le titre du texte de lecture.

P

Corrigés p. 7

Les mots contraires

JE COMPRENDS

Des mots **contraires** sont des mots de **sens opposé** : beau et laid.

CONSEILS PARENTS

Votre enfant peut parfois trouver la définition d'un mot à partir de son contraire.

1 Continue à relier par un trait les mots contraires.

grand •	• large
mince •	• triste
étroit •	• **petit**
gai •	• gros
rapide •	• lent

2 Trouve le contraire des mots suivants.

content : ....

joli : ....

gentil : ....

3 Voici le début d'une petite histoire ; remplace les mots soulignés par leurs contraires et réécris l'histoire.

Il était une fois un prince très <u>méchant</u> qui <u>détestait</u> les enfants. Il était très <u>laid</u>.

I

4 Ces affirmations sont fausses ; trouve le contraire des mots soulignés.

- Le soleil <u>se couche</u> (......................) le matin. À midi, il fait <u>nuit</u> (.............).

Le soir, le soleil <u>se lève</u> (......................).

- Les phoques sont <u>tristes</u> (................) quand on leur donne des poissons à manger.

5 Recopie la phrase suivante.

Tu es grand ou petit ?

T

Corrigés p. 7

Plus d'exercices et de conseils sur www.hatier-entrainement.com

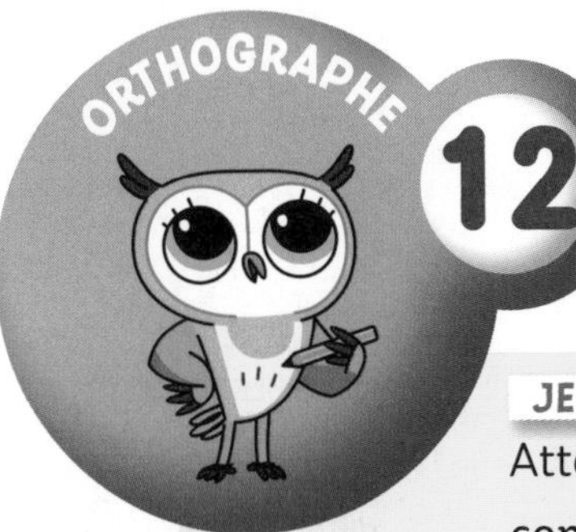

12 Les sons « oi » et « oin », « ein » et « ain »

JE COMPRENDS

Attention à l'écriture de « **oi** » comme dans un r**oi**, de « **oin** » comme dans le f**oin**, de « **ein** » comme dans la p**ein**ture ou de « **ain** » comme dans un tr**ain**.

CONSEILS PARENTS

Le son « oi » est un son facile car il s'écrit presque toujours avec les lettres o et i. Insistez plutôt sur le son « oin ».

★ 1 Souligne les mots quand tu entends « oin » ou « oi ».

- le lion, loin, Léon, bain, besoin, le soin, le son, le foin, le fou.
- le toit, le bois, le roi, un avion, l'oiseau, le cadeau, le choix.

Fais très attention à l'ordre des lettres dans les mots de l'ex. 1 : ne confonds pas **ion** et **oin**.

★★ 2 Entoure les mots quand tu vois ain ou ein.

- la liane, du pain, un triangle, la viande, un train, demain.
- peindre, un chien, une ceinture, un Indien, du vin, un musicien.

Fais très attention à l'ordre des lettres dans les mots de l'ex. 2 : ne confonds pas **ian** et **ain**.

★★ 3 Complète les mots avec oi, oin, ein, ain.

- La v........ture a des fr........s. • La p........ture de la salle de b.......s est neuve. • Attachez vos c........tures ! • Joues-tu aux quatre c........s ?
- Prends s........ de toi. • J'achète du p........ et des croissants.

★★ 4 Classe les mots en quatre colonnes.

- poisson • loin • pain • ceinture • nain • foin
- teinture • droit • soin • toit • peinture • châtain

mots en **oi**	mots en **oin**	mots en **ein**	mots en **ain**
....	....	....	....
....	....	....	....
....	....	....	....

★ 5 Recopie la phrase suivante.

J'ai peint des poissons dans la salle de bains.

J'

Corrigés p. 7

Plus d'exercices et de conseils sur www.hatier-entrainement.com

GRAMMAIRE

12 Le verbe avoir

JE COMPRENDS

Conjugaison du verbe **avoir** au **présent** :

j'**ai**	nous **avons**
tu **as**	vous **avez**
il *ou* elle **a**	ils *ou* elles **ont**

CONSEILS PARENTS

Ce verbe est totalement irrégulier. Il faut que votre enfant l'apprenne par cœur.

Souviens-toi : après **nous**, on trouve **-ons** à la fin du verbe, et **vous** commande un **-z**.

★ 1 Complète les pointillés ci-dessous.

- j'..........
- .... as
- il *ou* elle ....
- .... avons
- vous ....
- ils *ou* elles ....

★ 2 Souligne les formes du verbe avoir dans les phrases suivantes.

- J'ai un chat gris. • Nous avons faim. • Vous avez chaud.
- Ils ont un cartable neuf. • Elle a le nez rouge. • Tu as une jolie robe.
- Elle a une grande maison. • Il a l'air stupide.
- Ils ont des caleçons longs. • Vous avez une bonne note.

★★ 3 Ajoute les pronoms qui manquent.

- .... as de grands pieds. • .... avons des clowns dans notre classe.
- .... avez une maitresse très gentille. • ....ai une grande envie de chocolat.
- .... as beaucoup de chance. • ....ai une petite sœur adorable.

★★ 4 Complète les phrases avec les formes du verbe avoir.

• Elle .... un petit chien. • Nous .... chaud. • Elles .... mal à la tête. • Vous .... des boutons de varicelle. • Tu .... une glace au chocolat dans la main. • J'............ un crocodile.

★ 5 Même consigne.

- j'........ envie de travailler
- tu .... envie de travailler
- il .... envie de travailler
- nous .... envie de travailler
- vous .... envie de travailler
- elles .... envie de travailler

Corrigés p. 7

13 Lecture-compréhension (3)

JE COMPRENDS

Voici un texte : lis-le attentivement et réponds aux questions qui suivent.

Une drôle de voix au téléphone

Le téléphone sonne : « dring ».
« Allô, dit la petite fille.
– C'est toi, Géraldine ? Connais-tu ma voix ?
– Non, qui êtes-vous ?
– Je suis le marchand de sable et le marchand de rêves. Comme il est tard, je viens te raconter une toute petite histoire pour que tu t'endormes très vite. J'ai entendu dire que tu ne voulais jamais aller au lit de bonne heure, alors je viens t'aider à ne plus avoir peur du noir. »

CONSEILS PARENTS

Demandez à votre enfant de reformuler avec ses propres mots ce qu'il vient de lire tout seul.

Le **titre** d'une histoire te permet de connaitre immédiatement son idée principale.

★ 1 **Quel est le titre de cette histoire ?**

★ 2 **Comment s'appelle la fillette de cette histoire ?**

★★★ 3 **Qui téléphone à Géraldine ?**

★★ 4 **Combien comptes-tu de phrases qui posent des questions ou phrases interrogatives ?**

★★★ 5 **Voici la suite de cette histoire, mais il y a quatre erreurs. Elles sont soulignées ; propose une correction dans les parenthèses.**

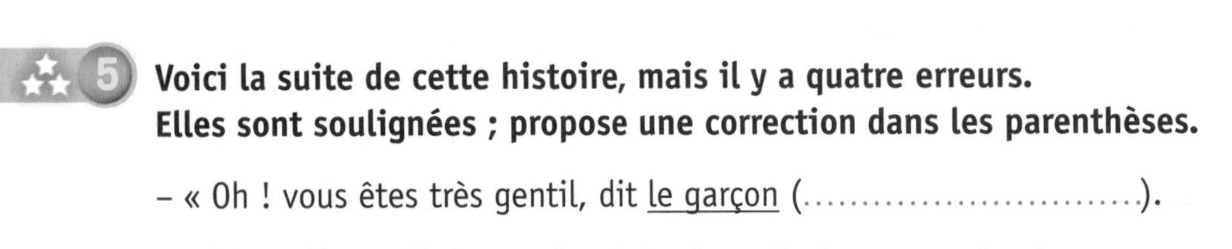

– « Oh ! vous êtes très gentil, dit <u>le garçon</u> (.............................).

– Allons, allons, dit le marchand de rêves. <u>Tu</u> (.............) vais commencer par une histoire de taupe. Qu'en penses-<u>vous</u> (...........) ?

– D'accord ; je <u>nous</u> (...................) écoute, les oreilles bien ouvertes. »

Corrigés p. 7-8

VOCABULAIRE

13 Les homonymes

JE COMPRENDS

Les mots peuvent se prononcer de la **même façon** mais ne pas avoir le **même sens** : le tour (faire le tour d'un château) et la tour (la tour d'un château).

Ils s'écrivent parfois différemment : un sot (un imbécile) et un seau (un récipient).

CONSEILS PARENTS

Encore une fois, attirez l'attention de votre enfant sur le contexte du mot qui permet de bien choisir un terme dans une liste d'homonymes.

★ 1 Souligne d'une même couleur les mots qui se prononcent de la même façon.

J'ai tapissé le mur de ma chambre en rose. Maman a fait de la confiture de mures.

Le fruit mûr tombe tout seul.

★★ 2 Complète les phrases avec nid ou ni.

Je n'ai ni faim .... soif. L'oiseau construit son .... au printemps.

★ 3 Entoure tous les mots qui se prononcent « cour ».

- Les enfants jouent dans la cour de récréation.
- En hiver, les jours deviennent plus courts.
- Tu cours très vite.
- On joue au tennis sur un court.
- Au cours de l'été, tu as beaucoup grandi.

★★ 4 Écris les mots suivants sous les dessins correspondants :
un pin, un pain, une reine, un renne.

....

★★ 5 Recopie la phrase suivante.

La reine tient les rênes du char tiré par des rennes.

𝓛

Corrigés p. 8

  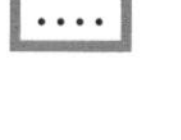

ORTHOGRAPHE

13 Les sons « ill », « ii » et « gn »

JE COMPRENDS

Attention à l'écriture du son « **ill** » comme dans une qui**ll**e.

CONSEILS PARENTS

Dites à votre enfant qu'entre deux voyelles, y = deux fois la lettre i, comme dans les mots voyage = « voi-iage », noyau = « noi-iau ». Ce n'est pas une explication très rigoureuse en phonétique mais une bonne astuce pour l'aider.

★ 1 **Entoure les mots où tu vois ill.**

- une bille • la bile • un billet • une quille • une fille
- une file • un filet • une famille • une chenille

JE COMPRENDS

Attention ! La lettre **y** peut se prononcer « **i** » comme dans un st**y**lo ou bien « **ii** » comme dans un no**y**au.

★★ 2 **Entoure en rouge les mots où y fait « i » et en bleu les mots où y fait « ii ».**

- un pyjama • un noyau • un stylo • un crayon • une mobylette
- un voyage • un mystère • une bicyclette • joyeux • un paysan

★★ 3 **Complète avec ill ou y.**

- une coqu........e • le soleil br........e • du gru......ère
- une past........e • un vo......age • une chen........e
- une glace à la van........e • jouer aux b........es

Un mot se termine souvent par **ille** mais presque jamais par **ye**.

JE COMPRENDS

Attention au son **« gn »** comme dans mi**gn**on.

★ 4 **Entoure les mots où tu vois gn.**

- un singe • un signe • la montagne • la vigne • le linge
- la ligne • Guignol • un oignon • un canard

★ 5 **Recopie la phrase suivante.**

J'ai gagné des billes.

Corrigés p. 8

Plus d'exercices et de conseils sur www.hatier-entrainement.c

13 Le verbe être

JE COMPRENDS

Conjugaison du verbe **être** au **présent** :

je **suis**	nous **sommes**
tu **es**	vous **êtes**
il *ou* elle **est**	ils *ou* elles **sont**

CONSEILS PARENTS
Ce verbe est totalement irrégulier. Il faut que votre enfant l'apprenne par cœur.

Quand tu vois **ils** ou **elles** devant un verbe, ce dernier se termine par **-nt**.

★ 1 Complète les phrases suivantes.

- .... suis très beau.
- Tu .... très grand.
- Il *ou* elle .... sage.
- Nous .... très futés.
- .... êtes charmants.
- Ils *ou* elles .... adorables.

★ 2 Souligne les formes du verbe être dans les phrases suivantes.

- Je suis de mauvaise humeur. • Il est malin. • Nous sommes au CP.
- Vous êtes heureux. • Tu es un marsouin malin. • Ils sont grands.

Attention, tu dois faire la liaison à l'oral : **vous êtes**.

★ 3 Complète les phrases avec les formes conjuguées du verbe être.

- Je .... à la maison.
- Nous .... inquiets, car tu .... en retard.
- Elles .... tes meilleures amies.
- Vous .... un excellent élève.
- Il .... curieux de tout.

★★ 4 Souligne en bleu les formes du verbe avoir et en rouge celles du verbe être.

- J'ai un nouveau stylo. • Je suis un garçon. • Elle a mal aux dents.
- Nous sommes amis. • Ils ont un chien. • Vous êtes riches. • Il est joyeux.
- Il a un petit frère. • Tu es blond. • Tu as les yeux verts.

★★ 5 Conjugue le verbe être.

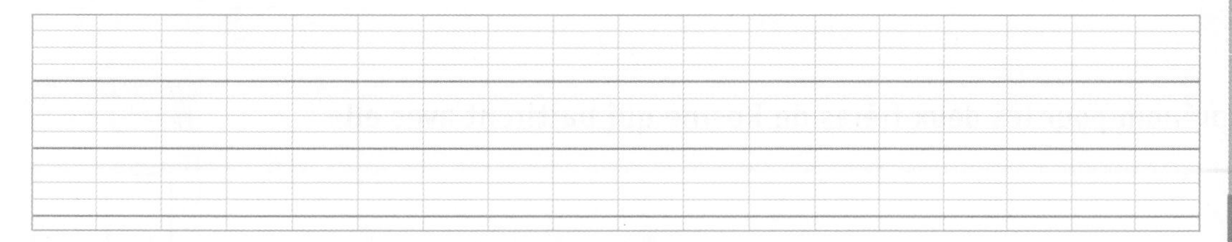

Corrigés p. 8

BRAVO ! Tu as fini le chapitre 13.
Rendez-vous sur le site www.hatier-entrainement.com pour encore plus d'exercices et de conseils !

14 Lecture-compréhension (4)

JE COMPRENDS

Voici un texte : lis-le attentivement et réponds aux questions qui suivent.

Il était une fois une dame souris qui avait eu six petits. Ils vivaient tous dans un nid qu'elle avait construit dans le grenier d'une maison. Elle permettait à ses enfants de jouer la nuit dans les recoins du grenier mais elle leur interdisait d'en sortir. Une de ses filles s'ennuyait beaucoup ; elle s'appelait Rosine et elle rêvait de voir le vaste monde qui commençait juste derrière la porte du grenier. Rosine rêvait même de partir en expédition encore plus loin, dans l'univers mystérieux qui s'étendait derrière la porte de la maison.

CONSEILS PARENTS

Arrêtez-vous de lire une histoire à votre enfant juste au moment où l'action se met en place et demandez-lui d'inventer la suite.

1 **Entoure : vrai ou faux ?**

- Dame souris avait huit petits. Vrai Faux
- Dame souris a construit son nid dans un grenier. Vrai Faux
- Une des filles de Dame souris s'appelle Rosine. Vrai Faux
- Rosine ne veut pas quitter le grenier. Vrai Faux

2 **Souligne la bonne réponse.**

- Le texte que tu as lu est : au début, au milieu, à la fin d'un livre.
- Il est extrait : d'un dictionnaire, d'une encyclopédie pour enfants, d'un roman pour enfants.
- La suite du texte racontera l'histoire : de Dame souris, de Rosine, on ne sait pas.

Beaucoup d'histoires commencent par **Il était une fois...**

3 **Invente deux dangers que pourrait rencontrer Rosine si elle franchit la porte du grenier en plein jour.**

Elle pourrait rencontrer : un(e)

ou

4 **Invente un prénom pour les deux frères de Rosine qui partiront avec elle.**

- ....
- ....

Corrigés p. 8

....

VOCABULAIRE

14 L'ordre alphabétique

JE COMPRENDS

Voici l'alphabet :

a, b, c, d, e, f, g, h, i, j, k, l, m, n, o, p, q, r, s, t, u, v, w, x, y, z .

1 Il y a des trous dans cet alphabet : replace les lettres qui manquent sur les pointillés.

• a • b • .... • d • .... • f • g • .... • i • j • k • .... • m • n

• .... • p • .... • r • s • t • u • v • .... • .... • y • z

2 Entoure : vrai ou faux ?

• **m** est après **l**	Vrai	Faux
• **b** est avant **i**	Vrai	Faux
• **p** est avant **r**	Vrai	Faux
• **l** est avant **k**	Vrai	Faux
• **e** est après **f**	Vrai	Faux

3 Complète, comme dans l'exemple.
a comme âne

• .... comme buse
• .... comme cornichon
• .... comme daim
• .... comme école
• .... comme femme
• .... comme garçon
• .... comme hibou
• .... comme image
• j comme ....
• .... comme képi
• l comme ....
• .... comme maman

• .... comme non
• o comme ....
• p comme ....
• .... comme quille
• .... comme rire
• .... comme souris
• t comme ....
• u comme ....
• .... comme vache
• .... comme wagon
• .... comme xylophone
• .... comme yoyo
• .... comme Zorro

CONSEILS PARENTS

Jouez au jeu du dictionnaire. Tirez une lettre au hasard. Le premier qui a trouvé dans le dictionnaire une page avec des mots qui commencent par cette lettre a gagné.

Chante la petite chanson de l'alphabet dans ta tête pour faire les exercices de cette page. Tu la connais depuis la maternelle.

Corrigés p. 8

14 Les sons « eil », « ail », « euil », « ouil »

JE COMPRENDS

Attention ! On écrit un sol**eil** et une or**eille** ;
un port**ail** et une m**aille** ; un faut**euil** et une f**euille** ;
du fen**ouil** et une n**ouille** .

CONSEILS PARENTS
Expliquez la règle à votre enfant : ce sont les noms féminins qui redoublent la lettre l devant le e à la fin des mots.

★ 1 Entoure les mots où tu vois ail, eil, euil.

- un écureuil • un éventail • pareil • un épagneul • le ciel • une fille
- de l'ail • un rail • il râle • un réveil • un rêve • un fauteuil

★ 2 Entoure les mots où tu vois aille, eille, euille.

- une abeille • une bouteille • une paille • au milieu • une aiguille
- une feuille • une oreille • une médaille • une ficelle

★★ 3 Complète les mots avec aille, ouille, eille.

- une n.............. • une or.............. • la r.............. • la t..............
- la p.............. • la ratat.............. • une gren..............
- une citr.............. • une and.............. • une bout..............

★★ 4 Complète avec un ou une.

- .... écureuil • .... caille • .... nouille • .... réveil
- .... abeille • .... feuille • .... taille

Les noms masculins se terminent par la lettre **l**.
Les noms féminins se terminent par **-lle**.

★★★ 5 Écris le nom des objets que tu vois sur ces dessins.

....

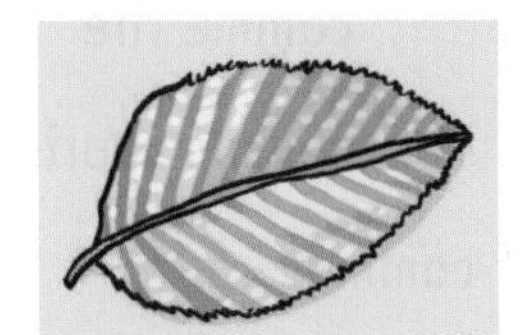

....

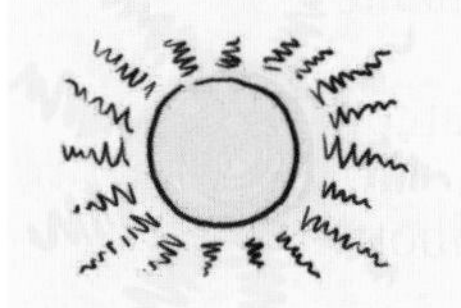

....

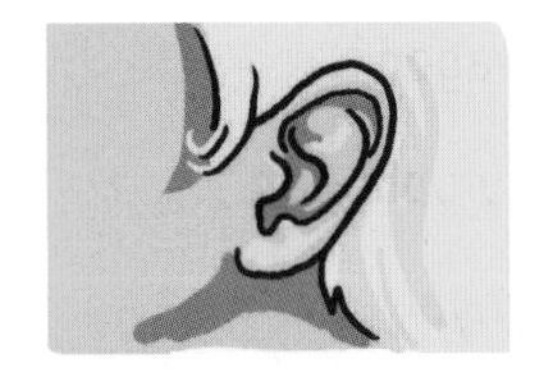

....

....

Corrigés p. 8

Approche de l'accord sujet-verbe

JE COMPRENDS

Observe : Un chat miaul**e**. Les chats miaul**ent**.

Le verbe est « **miaule** » ou « **miaulent** ».

Quand un seul chat miaul**e**, le verbe se termine par « **e** » ;
quand plusieurs chats miaul**ent**, le verbe se termine par « **ent** ».

CONSEILS PARENTS
Aidez votre enfant à bien repérer la chaine d'accord du pluriel dans le groupe nominal, puis celle du verbe avec le sujet.

1 **Souligne la terminaison -ent dans les verbes des phrases suivantes.**

- Les filles sautent. • Les oiseaux chantent.
- Les poissons nagent. • Les mamans jardinent.

Fais bien attention de ne pas confondre le **-ent** de **parents** qui se prononce « **an** » et la terminaison des verbes au pluriel en **-ent** qui se prononce « **e** ».

2 **Remplace les noms soulignés par ils ou elles sur le modèle.**
Les oiseaux chantent. → Ils chantent.

- Les dames papotent. → ....
- Les phoques plongent. → ....
- Les filles nagent. → ....
- Les téléphones sonnent. → ....
- Les souris dansent. → ....

3 **Transforme sur le modèle suivant.**
elle chante → elles chantent

- elle berce → ....
- elle blesse → ....
- elle laisse → ....
- elle arrive → ....
- elle cherche → ....

4 **Souligne les verbes en rouge.**

- Ils chantent. • Elle joue. • Les oiseaux chantent.
- La fille joue. • Elles pédalent. • Les filles pédalent.
- Il dine. • Le monsieur dine. • Elle sonne.
- La factrice sonne. • Ils récitent. • Les enfants récitent.

Corrigés p. 8

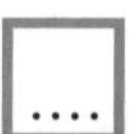

BRAVO ! Tu as fini le chapitre 14.
Rendez-vous sur le site www.hatier-entrainement.com pour encore plus d'exercices et de conseils !

Coloriage

Regarde chaque dessin et colorie la case :
- **en rouge quand tu entends le son « ks »,**
- **en bleu quand tu entends le son « dr »,**
- **en vert quand tu entends le son « ouille »,**
- **en violet quand tu entends le son « ph »,**
- **en jaune quand tu entends le son « ouin »,**
- **en orange quand tu entends le son « gne »,**
- **en rose quand tu entends le son « cre »,**
- **en gris quand tu entends le son « llon ».**

Achevé d'imprimer en France par Imprimerie IPS
Dépôt légal n°05024-2/02 - Octobre 2019